Collins

Big book of

Book

Wordsearches 8

Published by Collins
An imprint of HarperCollins Publishers

HarperCollins Publishers
Westerhill Road
Bishopbriggs
Glasgow G64 2QT
www.harpercollins.co.uk

HarperCollins Publishers,
1st Floor,
Watermarque Building,
Ringsend Road,
Dublin 4, Ireland

10 9 8 7 6 5

© HarperCollins Publishers 2021

All puzzles supplied by Clarity Media

ISBN 978-0-00-840395-9

Printed and Bound in the UK using 100% Renewable Electricity at CPI Group (UK) Ltd

The contents of this publication are believed correct at the time of printing. Nevertheless the publisher can accept no responsibility for errors or omissions, changes in the detail given or for any expense or loss thereby caused.

A catalogue record for this book is available from the British Library.

If you would like to comment on any aspect of this book, please contact us at the given address or online.
E-mail: puzzles@harpercollins.co.uk

facebook.com/collinsdictionary
@collinsdict

PUZZLES

1 Dance Styles

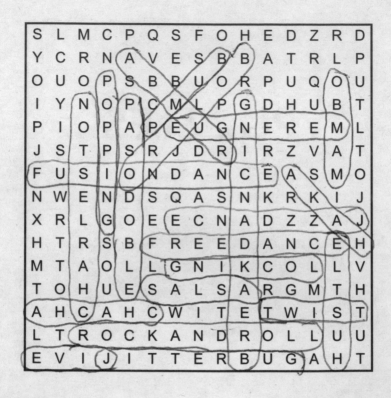

```
S  L  M  C  P  Q  S  F  O  H  E  D  Z  R  D
Y  C  R  N  A  V  E  S  B  B  A  T  R  L  P
O  U  O  P  S  B  B  U  O  R  P  U  Q  O  U
I  Y  N  O  P  C  M  L  P  G  D  H  U  B  T
P  I  O  P  A  P  E  U  G  N  E  R  E  M  L
J  S  T  P  S  R  J  D  R  I  R  Z  V  A  T
F  U  S  I  O  N  D  A  N  C  E  A  S  M  O
N  W  E  N  D  S  Q  A  S  N  K  R  K  I  J
X  R  L  G  O  E  E  C  N  A  D  Z  Z  A  J
H  T  R  S  B  F  R  E  E  D  A  N  C  E  H
M  T  A  O  L  L  G  N  I  K  C  O  L  L  V
T  O  H  U  E  S  A  L  S  A  R  G  M  T  H
A  H  C  A  H  C  W  I  T  E  T  W  I  S  T
L  T  R  O  C  K  A  N  D  R  O  L  L  U  U
E  V  I  J  I  T  T  E  R  B  U  G  A  H  T
```

BOLERO	HAKA	MERENGUE
BREAKDANCING	HUSTLE	PASODOBLE
BUMP	JAZZ DANCE	POPPING
CHA-CHA	JITTERBUG	ROCK AND ROLL
CHARLESTON	JIVE	RUMBA
FREE DANCE	LOCKING	SALSA
FUSION DANCE	MAMBO	TWIST

2 Poets

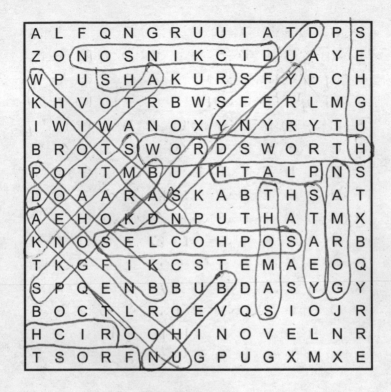

```
A L F Q N G R U U I A T D P S
Z O N O S N I K C I D U A Y E
W P U S H A K U R S F Y D C H
K H V O T R B W S F E R L M G
I W I W A N O X Y N Y R Y T U
B R O T S W O R D S W O R T H
P O T T M B U I H T A L P N S
D O A A R A S K A B T H S A T
A E H O K D N P U T H A T M X
K N O S E L C O H P O S A R B
T K G F I K C S T E M A E O Q
S P Q E N B B U B D A S Y G Y
B O C T L R O E V Q S I O J R
H C I R O O H I N O V E L N R
T S O R F N U G P U G X M X E
```

ANGELOU	FROST	SHAKUR
ATWOOD	GORMAN	SIDNEY
BEHN	HUGHES	SOPHOCLES
BISHOP	KAUR	THOMAS
BROOKS	KEATS	WHITMAN
DICKINSON	PLATH	WORDSWORTH
DUFFY	RICH	YEATS

3 Garden Types

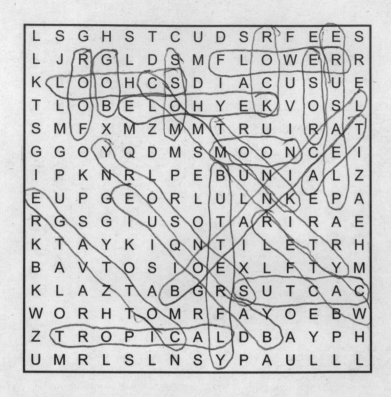

```
L S G H S T C U D S R F E E S
L J R G L D S M F L O W E R R
K L O O H C S D I A C U S U E
T L O B E L O H Y E K V O S L
S M F X M Z M M T R U I R A T
G G O Y Q D M S M O O N C E I
I P K N R L P E B U N I A L Z
E U P G E O R L U L N K E P A
R G S G I U S O T A R I R A E
K T A Y K I Q N T I L E T R H
B A V T O S I O E X L F T Y M
K L A Z T A B G R S U T C A C
W O R H T O M R F A Y O E B W
Z T R O P I C A L D B A Y P H
U M R L S L N S Y P A U L L L
```

BAROQUE	FLOWER	ROOF
BOG	KEYHOLE	ROSE
BOTANICAL	KNOT	SCHOOL
BUTTERFLY	MOON	SENSORY
CACTUS	MOSS	TEA
COMMUNITY	PLEASURE	TROPICAL
COTTAGE	ROCK	WATER

4 European Languages

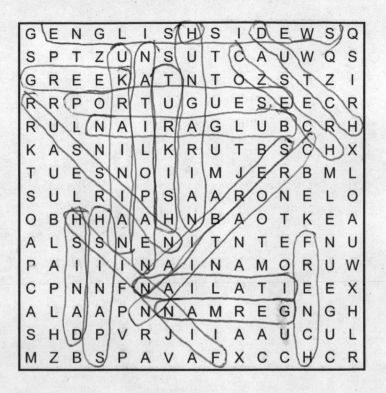

```
G E N G L I S H S I D E W S Q
S P T Z U N S U T C A U W Q S
G R E E K A T N T O Z S T Z I
R R P O R T U G U E S E E C R
R U L N A I R A G L U B C R H
K A S N I L K R U T B S C H X
T U E S N O I I M J E R B M L
S U L R I P S A A R O N E L O
O B H H A A H N B A O T K E A
A L S S N E N I T N T E F N U
P A I I I N A I N A M O R U W
C P N N F N A I L A T I E E X
A L A A P N N A M R E G N G H
S H D P V R J I I A A U C U L
M Z B S P A V A F X C C H C R
```

BULGARIAN	FRENCH	ROMANIAN
CROATIAN	GERMAN	RUSSIAN
CZECH	GREEK	SERBIAN
DANISH	HUNGARIAN	SPANISH
DUTCH	ITALIAN	SWEDISH
ENGLISH	NEAPOLITAN	TURKISH
FINNISH	PORTUGUESE	UKRAINIAN

5 K-pop Music Groups

```
U M N B T O G R L G P R S H R
O H A G T A T S L R D D E S K
X L P S I S S E V E N T E E N
E X I D L L B B S D A I N Z I
F D N E I R F G U V L M I Y P
E I K O O I I V P E O B H O K
A N T U K G O G E L M I S B C
H U D O D C O H R V O G Y R A
P A N S X I M U J E M B E E L
R S W H D M A O U T D A A D B
P T N O S S M K N C T N A N O
R G S R V O A P I S V G O O C
J R K E U C M S O G T U O W X
T R S I T R A A R Y R A R A T
L O D M M F F E H B T V X Q J
```

APINK	GFRIEND	SEVENTEEN
BIG BANG	IKON	SHINEE
BLACKPINK	MAMAMOO	SUPER JUNIOR
BTS	MOMOLAND	T-ARA
COSMIC GIRLS	MONSTA X	TVXQ
EXID	NCT	WONDER BOYZ
EXO	RED VELVET	WONDER GIRLS

6 Percussion Instruments

```
H L A M Z K R A Y X T K P H L
E T O E H U C J A C A R A M J
A L T T A M B O U R I N E R E
T R I A N G L E L X D D L U L
T R M L I Z O O Y B J P K I W
P W B L I E M L E E D U K G B
P H A O H I O L M X C O N G A
H I L P S P L B U P R A O Q L
Y S Y H H S E G R O F B G W V
L T T O M T O M D R U M N T B
C L N N R N S O E R D U A Z F
R E I E G U P O R P U B D K S
B K A E T H I H A T T A N S V
S S T E E L P A N W V Z E P I
U H G A R A I N S T I C K T P
```

CONGA	MARACA	TOM-TOM DRUM
DJEMBE	METALLOPHONE	TRIANGLE
GONG	RAINSTICK	UDU
HANDBELL	SNARE DRUM	WHISTLE
HI-HAT	STEELPAN	WOOD BLOCK
IKORO	TAMBOURINE	XYLOPHONE
KENDANG	TIMBAL	ZABUMBA

7 Caves

```
T N X R I C K K I T L H S S P
L O H Q F C L S S O U L M M G
A N T B L E V S B O D D L L F
F R A M O F O S K O N I H R A
E O E N W R T R U J I S D K H
R C R O C E X S T T P I I E O
J I B L R O A B M U M T L L R
S N S L T Q E S E M F R C P I
P U N I E E G A T U E O A Z U
J P O N N O T N A E I O U U R
I K G R S G B N D B R A G B I
Q W A U P W S A N N U R F T P
O F R O N A H T A I V E L V T
E Q D B I P U T A M C T P O A
Z T U N F A E M E R A L D X E
```

ANNA	GOSU	RHINO
BOURNILLON	LEVIATHAN	RISING STAR
CROSS	LOBSTER	SANNUR
DEER	MATUPI	SIJU
DRAGON'S BREATH	MUMBA	SOF OMAR
EASTER	PINDUL	UNICORN
EMERALD	QESEM	WOLF

8 US Presidents

```
N L L O D P B N C R A S U T C
O V N X Q A R O T H E C K R S
S T Y F A X O S A R B V O E E
L I N C O L N R F C U O O W Y
I J R A I E R E T L S M B O A
W U A D R I C F N E H Q A H H
T T G C S G T F V V S Y M N K
L E A O K N K E S E B S A E L
C O N C P S L J J L R I N S O
K R E R R T O N K A A N D I P
K K B U C H A N A N E M Z E A
T E G A R F I E L D K T L H N
R K R A K U I X Y J A N Q G I
W W Z U S B O A R S L M M T E
T V R I E J T G E E O U S N D
```

ADAMS	GARFIELD	KENNEDY
BIDEN	GRANT	LINCOLN
BUCHANAN	HARRISON	OBAMA
BUSH	HAYES	ROOSEVELT
CLEVELAND	HOOVER	TAFT
COOLIDGE	JACKSON	TRUMAN
EISENHOWER	JEFFERSON	WILSON

9 Comfort Food Around the World

```
K L D H M A A T G O C S O F S
M C A S A E A Q M W E U B J A
I F S L M O R U S P H S O Z O
P R I X T V G A D O G A D O A
L I L Y D S A M O S A U A A U
S E Z X C H I C K E N S O U P
T D S Z A A N E G G T A R T K
O C F N A S K U U T K G T I I
L H H O L H E E T Q J E B H L
S I C L N L F R I E D R I C E
M C N A D I M S U M L O R C F
R K E P P K G R S T R L Y O A
K E M O H Z A I J O S L A N L
Q N A U S H A K R N A A N G A
I A R Y T A J G M I E Z I F F
```

ADOBO	FALAFEL	NUTELLA
AUSHAK	FRIED CHICKEN	ONIGIRI
BIRYANI	FRIED RICE	PIZZA
CAKE	GADO-GADO	RAMEN
CHICKEN SOUP	GAZPACHO	SAMOSA
DIM SUM	GNOCCHI	SAUSAGE ROLL
EGG TART	NAAN	SHASHLIK

10 Musicals Filmed Live on Stage

```
U N O T L I M A H E V S K R S
L B A N D S T A N D C S S E P
E O A L L E G I A N C E T G L
R S T A R S H I P O T L W N Y
Q I S S O T T E S L A F I I N
R H N O I V U K R B I B S R A
U P A A F G T O H Y U Z T B P
T M R E E R E N T L I V E E M
H E N N I Y A D I L O H D R O
L M I S O U T H P A C I F I C
E U U F A Q R P U G R F T F B
S G M Q R E T A K E M S S I K
S T O I L L E Y L L I B L H U
P A S S I O N E W S I E S E L
N E Y B M P Z T X N N A N T W
```

ALLEGIANCE	FIREBRINGER	NEWSIES
ANI	FOSSE	PASSION
BANDSTAND	HAMILTON	RENT: LIVE
BILLY ELLIOT	HOLIDAY INN	RUTHLESS!
COMPANY	KISS ME KATE	SOUTH PACIFIC
EUGENIUS!	LEGALLY BLONDE	STARSHIP
FALSETTOS	MEMPHIS	TWISTED

11 Actors with the Most Oscar Nominations

```
S R E T M O C S E T U Z R S H
A U J H R R O U P L J T K M Y
C E D D A Y E V Y E G V Y M R
K A S W M D I R H T N O S L Y
L Y I A E U P E O R I N E D Z
M S R N P V L I F D I I G R S
X C I A E A O V F O N C D R O
H R T W G L A I M B T A I I T
A A A V E L O L A U E P R S Z
N I C H O L S O N R A O B B B
K I R K H V Y G T T R A C Y N
S N O M M E L A C O O P E R S
E O I R P A C I D N N H O T Y
W B T Z S R N E W M A N B B T
X I T I A A G A P X S I V M L
```

BRANDO	DICAPRIO	NEWMAN
BRIDGES	DUVALL	NICHOLSON
BURTON	HACKMAN	O'TOOLE
CAINE	HANKS	OLIVIER
COOPER	HOFFMAN	PACINO
DAY-LEWIS	LEMMON	PENN
DE NIRO	MARCH	TRACY

12 Actresses with the Most Oscar Nominations

```
O P V E T P S M S P B N E I Z
D A Q F R Z S M I T H T L S E
A D A S L I L R F A R M D W T
D A R R L R L W S Q C E K H H
R M T L A Y O F P D N R E F Z
E S O L C L A U O C A P R P T
T T G A B R B R H N B V R A Z
T F D L L W M H R U D H I I A
I A O R A A I P R K O A K S I
R D T R N N T N A M G R E B T
Y V A D C A G N S G I U C T M
Z N Y E H N O E M L E M A K Z
R W L B E V A R G D E R P D G
W E O V T C A B O A L T S Z H
B U R S T Y N S D T S L Y L N
```

ADAMS	DENCH	REDGRAVE
BANCROFT	FONDA	RITTER
BERGMAN	HEPBURN	SMITH
BLANCHETT	KERR	SPACEK
BURSTYN	LANGE	STREEP
CLOSE	MCDORMAND	TAYLOR
DAVIS	PAGE	WINSLET

13 Cake Decorating

```
A B S N F Z S W K B O R D E R
S T U N T P O I U U X B D A C
L V G T K S U S Y A D I L O H
G S A M T S I R H C B S B T O
N Y R N U E B Z Y L R W C N C
L A C E W O R K E S S E W A O
Q D P I H H I C F C L Q E D L
L H S E I R A S R E V I N N A
P T P R O F F O B E I S A O T
I R A E X L L R P O A Y P F E
P I T E O L A R E E Z M G R F
I B T W W T U R N T A B L E S
N B E O I O V I R N X P A D E
G R R O Y A L I C I N G Z H J
S K N A P I Z R A M U R E N Y
```

ANNIVERSARIES	EDIBLE	PATTERN
BIRTHDAYS	FLOWERS	PIPING
BORDER	FONDANT	ROYAL ICING
BUTTERCREAM	GLAZE	SCROLLWORK
CELEBRATION	HOLIDAYS	SUGAR
CHOCOLATE	LACEWORK	SYRUP
CHRISTMAS	MARZIPAN	TURNTABLE

14 Dentistry

```
C I T S I N E I G Y H V R T T
O L T I U L W S R O S X T A B
S R R S R T U O D E N T U R E
M S M O D E O N R F N O U A P
E U E N D T B P Z C Y A V T N
T E G G C E U M T A I E M V D
I T N A L P S N A R T L Q E R
C G N I L A C S L H W P N Z L
K A M D C E X T R A C T I O N
L S K E U I G L W R I P R W E
B U T W S U D D P T W C L R P
P C A Z Y T N E I T A P A U U
U H U U R A L O M R J R A F P
H R A E S Q N Y Z C B Y T O E
U U R E Z U H T E E T S Y Y L
```

BRIDGE	EXTRACTION	PATIENT
COSMETIC	FACIAL	PULP CHAMBER
CROWN	GUM	ROOT CANAL
DENTITION	HYGIENIST	SCALING
DENTURE	JAW	SMILE
DIAGNOSIS	MEDICINE	TEETH
ENAMEL	MOLAR	TRANSPLANT

15 Christmas Carols Around the World

```
N V A D E S T E F I D E L E S
R O L I B U J I C L U D N I L
O E Y E K N O D E L T T I L L
T H G I N Y L O H O A S L O E
A L O N T T L H J U B H I R B
N C D D A H O T E T P C U A R
N U I U S M R N R T N H N C E
E R S N I O A E E N A E I D V
N O B D V E C N Z O P D L R L
B O O E E T N O I T A R U O I
A C R R S E O S J Y T Y S F S
U U N J U D R R G S A K B X D
M R E U M U U E O S P W O E U
S O S L Q A H P D J R R A W T
P O J I N G L E B E L L S Z X
```

ADESTE FIDELES	IN DULCI JUBILO	O TANNENBAUM
AWAY IN A MANGER	IND UNDER JUL	PATAPAN
CUROO CUROO	JINGLE BELLS	PERSONENT HODIE
ERE ZIJ GOD	LINU-I LIN	SHCHEDRYK
GAUDETE	LITTLE DONKEY	SILVER BELLS
GOD IS BORN	MUSEVISA	TONTTU
HURON CAROL	O HOLY NIGHT	WEXFORD CAROL

16 'M' Shades

```
R N V S E M Q I L R U Z T H H
T J E R S K T R R M T L M G L
P P A E O S K S M Y Z A V L V
S Y L N R D Y I S S N Y V T Q
Y R E O Y G L O H T N E M N K
M R Z T T K S M I I Y O X L W
U E F S S K Y S O C C X A V R
G B L N I D T N O C A Y A C F
Z L I O M U H S A M H L T P I
M U D O N U G S Q G I A N G H
P M I M I P I N K U O G E T X
O G N A M N N M V I E H G F A
S R S U J R D I M U S T A R D
X B S V S R I N O O R A M M O
H V I E V R M T C O T A S T M
```

MAGENTA	MENTHOL	MOCHA
MAHOGANY	MIDNIGHT	MOONSTONE
MANGO	MILK	MOSS GREEN
MANTIS	MIMI PINK	MUD
MAROON	MINT	MULBERRY
MAUVE	MISTY ROSE	MUSTARD
MELON	MOCCASIN	MYSTIC

17 Greek Demigods

```
U S L C U L C Y S T A A O T U
S F Q R T Q E S H O X R S V R
S S Y T F N O I H P M A C R I
S U R D O C P R R S I H T A A
R C I T L P S D I O N Y S U S
B A O P O A A I N O M R A H U
B E L L E R O P H O N S E L S
J A Y S D L S X I W N E S T F
I T O A O T C S E A I M U O U
A I N R G X I S P E P A E M L
M U S A P H E R A C L E S M N
S E L L I H C A P Y Y I R C U
V N X E P B E T H A E N E A S
L P T G Y H A U U L R T P M T
O T T H E S E U S E I V E L L
```

ACHILLES	BELLEROPHON	HIPPOLYTA
AEACUS	CODRUS	IASUS
AENEAS	DARDANUS	MEMNON
AMPHION	DIONYSUS	ORION
ARCAS	EPAPHUS	ORPHEUS
ASCLEPIUS	HARMONIA	PERSEUS
ATHIS	HERACLES	THESEUS

18 Industries

```
T L Y I W E A E R O S P A C E
P E T L A U L D F I S T D E N
I K H O C D L L D P Y E V D E
A S P Z A H E F O O D X E U R
M X L E D I E R O S P T R C G
A S G C D O T M W J C I T A Y
I O A I H O S P I T A L I T Y
C F I S H I N G S C H E S I H
W O H U I N F O R M A T I O N
Y R M M L I F P I B P L N N B
L S R P U B L I S H I N G I I
F J K T U S L X U S S R L S L
X Z O J S T V E R E T A W N A
J E R U S I E L L Z U H F N D
R S O F T W A R E F G P O E N
```

ADVERTISING	FILM	PUBLISHING
AEROSPACE	FISHING	SOFTWARE
CHEMICAL	FOOD	SPORT
COMPUTER	HOSPITALITY	STEEL
EDUCATION	INFORMATION	TEXTILE
ENERGY	LEISURE	WATER
FASHION	MUSIC	WOOD

19 Birds

```
R K G Y B B K I V L N A O A S
U A F I J I T C L U I V O R U
W P E G U M E W N P L O K Y W
R K P T R G S S E J S T C T R
P G S O U Y W L O W L T U J Y
J A A U I B I S A O D A C R N
G L X C P C F N T O G U A N E
S C H A A U T S R D E S L E C
O P C N I U G N E P Y M R H K
E K I N G F I S H E R M I C E
P A R R O T Q D E C I C H I L
D C T K H T U C R K K P T L R
G I S P A R R O W E Y S G W H
S J O P U F F I N R S X Y A J
D K D W I B E A O D I M A I M
```

CHICKEN	MAGPIE	SPARROW
CUCKOO	OSTRICH	SWAN
EMU	OWL	SWIFT
GOOSE	PARROT	TOUCAN
IBIS	PELICAN	VULTURE
JAY	PENGUIN	WOODPECKER
KINGFISHER	PUFFIN	WRYNECK

20 Models of the 2010s

```
L D J R J R D A P Q X R S J S
U O A B E C K H A M I L R Z I
U E J B N K E I U Q F C S Z C
T I R H N X L F E R U J V S A
A E S S E Q J A T P A T N T O
G E H G R E C S H T M M N K S
T S A I K S W O H C A L U R C
D U D A P U Z L R E C L D D U
E O I B Y M T D Q C K L O S S
S H D I D O N A T O A V H E F
O R M C D S W T V E Z L N S I
U E O O T G M I I X L N I T I
S T O N E F F I K A U E K T T
L A R I E X I E T V O E J U S
A W G N M S U P R H V S E R A
```

BECKHAM   JENNER   NEFF

CHALKER   KLOSS   SENN

DIDONATO   KULKOV   SMITH

DUNN   LACHOWSKI   SOLDATI

GERBER   LACROCQ   STONE

GIABICONI   LIMA   TEIXEIRA

HADID   MUSE   WATERHOUSE

21 Shrek Characters

```
S Z F Y D O R I S U G R E F O
G T L D E L K R A F D O A E P
N T O R A D O N K E Y I Q L K
I E W O Q Q R R V R R H U I E
M S D N B T O A A Y B C E C R
R N A K P N A O G H T C E I H
A O B E M O I O A O G O N A S
H W G Y U E D S E I N N L I W
C W I S K M R S S X N I I N T
E H B K O W B L A U R P L K S
C I E T A Q T A I O P Z L W P
N T H R E E B L I N D M I C E
I E T L O R D F A R Q U A A D
R A S T S A L L E R E D N I C
P R I N C E S S F I O N A P S
```

CINDERELLA

DONKEY

DORIS

DRAGON

DRONKEYS

FAIRY GODMOTHER

FARKLE

FELICIA

FERGUS

KING HAROLD

LORD FARQUAAD

MERLIN

PINOCCHIO

PRINCE CHARMING

PRINCESS FIONA

PUSS IN BOOTS

QUEEN LILLIAN

SHREK

SNOW WHITE

THE BIG BAD WOLF

THREE BLIND MICE

22 Disney Villains

```
S E K Y S A U M C D N A R S K
M C Z I A L U S R U Y N A H S
A M R M A L E F I C E N T O M
A R E E U I G R T D L A M R X
I W P C E P R I N C E H A N S
D N P W A N A O Y R H K D E A
J L O M E P S A O N T E A D M
R M H T H F T L K D O R M K T
V X O H S G F A A O G E M I X
M V F N F A R I I V R H I N H
E S O S J R G O L N E S M G T
S N Z I O A O K N C H R C M Q
X I A J Z A F L H N T O K A T
M S W Y J J I A L X O A O R R
U Q A K S Y N D R O M E R K E
```

CAPTAIN HOOK	MALEFICENT	SHAN YU
FROLLO	MOTHER GOTHEL	SHERE KHAN
GASTON	PRINCE HANS	SYKES
HOPPER	RATCLIFFE	SYNDROME
HORNED KING	RONNO	URSULA
JAFAR	SCAR	YOKAI
MADAM MIM	SCREENSLAVER	YZMA

23 Jazz Genres

```
O V C R X J A Z Z R A P A P R
E S T V O A N R T E M P U U I
O M S G K Z S E U S I N A L I
R O G J A Z Z R O C K R T U U
X O T W N B S U M B U H R F O
L T R E S L L T A S O O K I W
M H T S A U N X E U G P W L U
L A R T S E H C R O N E Q T A
Y R A C C S T S T R I D E F U
G D D O I K Z S S M W A G A U
L B L A T I N I N K S O S Y O
P O R S Y F E R I O A R Z Z T
L P O T T F L A D O M R L T
A Q C F S L X S M N I Y E R R
H I F R E E L S R I P C V F Q
```

FREE	LATIN	SKIFFLE
HARD BOP	MAINSTREAM	SMOOTH
INDO	MODAL	SOUL
JAZZ BLUES	NEO-BOP	STRIDE
JAZZ RAP	ORCHESTRAL	SWING
JAZZ ROCK	PUNK	TRAD
KANSAS CITY	SKA	WEST COAST

26

24 Games

```
B S X I B M A R G N A T P R F
B A T T L E S H I P B B O E C
Q S C R A B B L E T A U K V J
B I S K C A J K C A L B E E O
B L I B G S R Z E E O P R R R
Q T K S L A A S T U N E A S V
L T L P O G M T I U E Z T I C
Y A H T Z E E M C A U Y A N T
I E Z M O N O P O L Y M A H T
X Y O G N I R E E N I M O D V
E O P I T I L L A B T U H P R
C H E S S O L I T A I R E E X
O L A K R G Y O L U N N O S V
U R Q G O P R S H O G I G L Y
Y S U K O D U S M A R G A N A
```

ABALONE

ANAGRAMS

BACKGAMMON

BATTLESHIP

BLACKJACK

CHESS

DOMINEERING

GIN RUMMY

HEX

MONOPOLY

PHUTBALL

POKER

REVERSI

RISK

ROULETTE

SCRABBLE

SHOGI

SOLITAIRE

SUDOKU

TANGRAM

YAHTZEE

25 Sandwiches

```
X U N R I T Q Y C P T I N A L
L R R E H A M R A W A H S S T
S F E E B T S A O R L N S B T
A L T L R U Z D A D L Z I A E
R S O O L R E Y T A E X R N Z
P K A P R A U R S L D C P O I
S I S U P T B E P A A A O N C
L A T L S Y A T B S T H R I P
E E I L W A J I A N R U U Z N
F M E E E O G O Y E O R S Z L
A E A D H P K E E K M B P E N
L Q L P T R A R K C X U M M W
A V M O N T E C R I S T O A U
F T P R T G T W U H A O A R J
J G R K G A S A T C A N U T C
```

CHICKEN SALAD	MORTADELLA	SLOPPY JOE
EGG	PANINI	STEAK
FALAFEL	PULLED PORK	TOASTIE
HAM	REUBEN	TORTA
JAMBON-BEURRE	ROAST BEEF	TRAMEZZINO
MEATBALL	SAUSAGE	TUNA
MONTE CRISTO	SHAWARMA	TURKEY

26 African Mountain Peaks

```
E E O I V Z H M L L L E N S S
M I K E N O A C A E R Y O A T
U P P A I Q L N K W S T M B I
R O M W U U N A U T E A J W B
B U M O U N T E L G O N H A M
N A K O U M I M H I M I Z H I
F N D I U N O M E S H C H I S
Q O P A D N T U E D A C Z T I
F U B D S I T M N T U D N I R
R K R I W U S K E T N L S E A
A R O I K R D Y E R G U L A K
T I R A F A B M A N U E O U R
P M U H A V U R A R Y I S M T
R U L P O R T A L P E A K S O
O W S S L A R S T T F D A E I
```

AMBA FARIT

BADA

BWAHIT

CHILALO

GUNA

INATYE

KARISIMBI

KIBO

KIDIS YARED

MAWENZI

MIKENO

MOUNT ELGON

MOUNT EMIN

MOUNT GESSI

MOUNT KENYA

MOUNT MERU

MUHAVURA

OUANOUKRIM

PORTAL PEAKS

RAS DASHEN

TULLU DEMTU

27 Flag Design

```
O N X R S X E A P Q L S Y W R
D S F T L T D Q A A U E E X E
J L D K T F A D M N N P L R D
F E A B E L C R I C C I Y O P
B S P B U K K L E A Q H M M R
D C O L R G B K S P M B O A T
A A R U A I U U S P I O U R L
A T E O I N S U I F I R N Y R
U I Y S S O T A N L R R T D N
E R A U Q S H I E L D A A S N
V T R B O R D E R O D I I L S
E F O Y P E C R E S C E N T K
U O R O J P G X H A F K A G S
K O L G H A C A P A O Q T U Q
M L Y R X T I S S Q T A Y I G
```

ANCHOR	CRESCENT	SHIELD
ANIMAL	CROSS	SPHERE
BOAT	DIAMOND	SPIRAL
BOOK	MAP	SQUARE
BORDER	MOUNTAIN	STAR
BUILDING	PERSON	STRIPE
CIRCLE	PLANT	SUN

28 Famous Films

```
Y U S O M E L I K E I T H O T
D T U R E V I R D I X A T O C
Z R N W O T A N I H C G E B A
O T S I L S R E L D N I H C S
F H E T C O R S S O A L A I A
O E T H R I W A K M L R A T B
D G B E I A T G W U S N O Y L
R O O G J G N I B R N V H L A
A D U R B I H G Z I A U C I N
Z F L A K R N N E E I T Y G C
I A E D M I U H O L N K S H A
W T V U G T A G V O O K P T V
E H A A Y L Z D G U N V A S U
H E R T L V E R T I G O E N Y
T R D E V E T U O B A L L A E
```

ALL ABOUT EVE

ANNIE HALL

CASABLANCA

CHINATOWN

CITIZEN KANE

CITY LIGHTS

DR. STRANGELOVE

HIGH NOON

JAWS

KING KONG

PSYCHO

RAGING BULL

SCHINDLER'S LIST

SOME LIKE IT HOT

STAR WARS

SUNSET BOULEVARD

TAXI DRIVER

THE GODFATHER

THE GRADUATE

THE WIZARD OF OZ

VERTIGO

29 Countries that Speak Arabic

```
O F E Q P S E L G N T T W A R
F R S Y R I A Q S I J P J N G
X C A Y B I L D S T G Y A L W
I L T B O C G C J A R G L X H
C U Q P A L E S T I N E T R W
Q S X B A H R A I N B S C P A
A Z K U W A I T R A T O X R W
T U N I S I A K N T I M U T Q
A S O E S D A O H I O A S T S
R N I A M U N C K R A L O U I
P M A K A E E Q O U Q I D J R
C H A D T L Y C I A N A M O M
V O W I R H C S H M N G R L S
Y T S O R O M O C A V T Z I V
U I T N Z N J C J V E A P B S
```

ALGERIA	JORDAN	PALESTINE
BAHRAIN	KUWAIT	QATAR
CHAD	LEBANON	SOMALIA
COMOROS	LIBYA	SUDAN
DJIBOUTI	MAURITANIA	SYRIA
EGYPT	MOROCCO	TUNISIA
IRAQ	OMAN	YEMEN

30 Pop and Rock Pianists

```
I O M X Z K V O E M X R O F M
K O L J I L S A T I I H Z S Q
A T T N I T R A M A R A N O S
A P P L E N O M I S V U E U U
F Q D Y L A N O T F L O A O I
O P S O Y T I O T Y L L A D
N G K S A O A K S J P R A E N
O N H E N D R I X A H T S K I
N E G L Y A T K X G M T Q Q A
N O T L V S O O E G V P Q H T
E N G I V A L E G E N D Z R T
L S T E I H C I R R C E Q E W
Y Z X R O T K E P S W I F T F
T V L A D Y G A G A O V D A R
A T L B X O T Q A R A A U W A
```

APPLE	LADY GAGA	RICHIE
BAREILLES	LAVIGNE	SIMONE
DYLAN	LEGEND	SPEKTOR
HENDRIX	LENNON	SWIFT
JAGGER	LOVATO	TRAINOR
KEYS	MARANO	URIE
KRAVITZ	MARTIN	YORKE

31 Classical Hollywood Directors

```
C M Z W T P A G V I V I I T A
X N N R T G O R U A T W H Y L
F U E O D T E P P I D P A I R
H O F L O R E Y K A I F M Q U
E M R O L J S O S T C Y P B B
S B S D F A E S L N Q N T C U
F R A N K L I N K O A C S V L
E O W A C N U T Y M H U U U T
L W E R O M Y R R A B O I S I
L N L B C Y V E P L W C K T M
I I L Z H X H L S W A E I N K
N R E H C S I E L F A E N S J
I U S K T N H T S T R S G J R
T S G N I D L U O G N J U Z L
H K K Y H T T N Y N G A A L Y
```

ALLEN	FELLINI	KEATON
BARRYMORE	FLEISCHER	KING
BRANDO	FLOREY	LAMONT
BROWN	FORD	SHERMAN
CAPRA	FRANKLIN	TAUROG
CHAPLIN	GOULDING	WAYNE
DASSIN	HITCHCOCK	WELLES

32 Deserts

```
I  C  K  R  O  E  V  A  J  O  M  S  C  E  E
R  A  T  A  C  A  M  A  L  S  T  H  G  I  Q
S  N  H  S  L  I  M  T  X  L  I  I  R  I  C
N  O  A  Y  A  A  E  A  J  H  S  Y  H  R  E
U  C  R  D  O  N  H  N  U  E  N  N  L  P  D
R  C  S  N  I  I  N  A  I  B  A  R  A  A  L
T  A  A  A  V  S  H  M  R  Q  R  E  C  K  R
J  G  N  S  A  U  I  I  A  I  O  T  O  E  M
D  G  R  E  A  T  B  A  S  I  N  S  U  L  O
A  B  E  L  A  R  T  N  E  C  O  A  Q  S  E
B  I  B  T  R  E  T  X  H  A  S  E  V  W  J
K  M  A  T  H  E  S  T  O  N  E  T  R  L  A
Y  A  T  I  O  R  U  U  P  E  F  N  R  G  T
D  N  O  L  O  P  F  H  V  L  Q  O  B  I  I
X  R  U  J  A  A  N  S  S  N  P  M  H  X  O
```

ACCONA	KALAHARI	RYN
ARABIAN	LITTLE SANDY	SINAI
ATACAMA	MOJAVE	SONORAN
CENTRAL	MONTE	TABERNAS
CHIHUAHUA	NAMIB	TANAMI
EASTERN	OLTENIAN	THAR
GREAT BASIN	POLOND	THE STONE

33 Diets

```
O P R A M U I D O S W O L W Q
C V E E T G I U R U E H X S M
A W G V W K R K L B I C R B E
B N G B J O I A O W G A O R T
B B A E E O P N C A H E S H S
A U N N C V C N S Y T B E U Y
G L D B A U E U I A W H D B S
E L W I R B P R L E A T A A I
S E I C P E G K L C T U L R R
O T N S R P A N K Y C O E B T
U P E F U L O E I N H S R L U
P R O E I H R I U N E I G P N
U O W N R S Y E P U R M L W U
D O E N A M L L I T S O L L L
C F G R A P E F R U I T M U S
```

ALKALINE	GRAPEFRUIT	ROSEDALE
ATKINS	LOW SODIUM	SOUTH BEACH
BEVERLY HILLS	MORNING BANANA	STILLMAN
BULLETPROOF	NUTRISYSTEM	SUBWAY
CABBAGE SOUP	PIOPPI	SUPERFOOD
DUKAN	PROTEIN POWER	THE HACKER'S
EGG AND WINE	RHUBARB	WEIGHT WATCHERS

34 Double 'L' Words

```
U U F M P A X T H F S S C T S
Y L L A E R S S E Q M L C E
Y E L L O W P J O L L Y E U Z
W O L L I P O K Z J A L N L P
S S O E Y C M O D C L W O C L
T K U T C E E U L O E G L B T
A I S O G G T W B L V S I L N
K L U R I A A I L L Y S R A E
K L D R A L L A M E O T U N M
Z A J A E L L E Z A G T L D T
L T T P I O I E W G V S E F O
T R Q O F C C R B U O S J A L
A D N U S V O L L E Y B A L L
P M S R O B K W S L R R V L A
C L R V S L U C D O V M P X X
```

ALLOTMENT	JOLLY	REBELLIOUS
BILLION	LANDFALL	SKILL
CELLO	MALLARD	SMELL
COLLAGE	MALLET	UNWELL
COLLEAGUE	METALLIC	VOLLEYBALL
GAZELLE	PILLOW	WOOLLY
HELLO	REALLY	YELLOW

35 National Dishes

```
F X L K D A I V A M U S M I D
K V S P O U T I N E S O P E R
I H S U S S U O C S U O C A C
M A V A L K A B P S I D G A I
C W H R A E U G S P D G W I T
H R E T S H P A T L M L G T B
I P H T D I K L S A X A T A S
F L C Q S A Z L R P K G T L H
J M I A T H P O U P V N Z S H
O U V W C A S P W L I I E J U
Z B E Y A T L I Y E G H Q N O
W M C R O O E N R P R O J S D
P D B J A U E T R I L M L Q U
K P X Z A I L O U E U D N O F
S S Y F C H T H C S R O B R L
```

APPLE PIE	CURRYWURST	MOHINGA
BAKLAVA	DIM SUM	MOUSSAKA
BIGOS	FONDUE	PAD THAI
BORSCHT	GALLO PINTO	POUTINE
CAWL	HAGGIS	STAMPPOT
CEVICHE	IRISH STEW	SUSHI
COUSCOUS	KIMCHI	TACO

36 Hip-hop Musicians

```
I X I D N K E E W E H T S N R
Z R F H M A C M I L L E R O Z
L S R E H Z E S T K A W T I E
L L N R T E E C T U T O P E I
I O O U I P S N O O P D O G G
H W I K M O W S C K R E P I R
N T C A S L I A S A N M S X E
Y H A H W R Z O S C R A Z R F
R A T S O E K Y I E W D R Y X
U I N C L F H C V Z R V I F B
A Z E A L I A B A N K S U B L
L O T P I N L F R B T Z N R A
S I X U W N I K T A C A J O D
S T X T O E F L I Z Z O V Y O
S T X S I J A N I M I K C I N
```

AZEALIA BANKS	LIL' KIM	SZA
CARDI B	LIZZO	THE WEEKND
DOJA CAT	MAC MILLER	TRAVIS SCOTT
FERGIE	NICKI MINAJ	TUPAC SHAKUR
FRANK OCEAN	SLOWTHAI	WILLOW SMITH
JENNIFER LOPEZ	SNOOP DOGG	WIZ KHALIFA
LAURYN HILL	STORMZY	XXXTENTACION

37 Glass Items

```
R D I M H D D I T S F E A R S
A S P F E T E L E S C O P E V
R C E T T E P I P Q C X H S X
G L A S S P I P E S A V O R L
S O T H S E B U T T S E T Q M
Z E H D S A U S W I N D O W I
S R G E N I L K N E L H C S C
F U I C T F D G I C M X O E R
X T E A U T B I L I X J P S O
S P W N C A M E R A C I I N S
S L R T M S F R A T T H E E C
M U E E U T O S P D E S R L O
J C P R Q R Z F X V S P Y Y P
K S A L F R E Y E M N E L R E
R U P N I E L B R A M Y O F C
```

BEADS

CAMERA

CRYSTAL GLASS

DECANTER

ERLENMEYER FLASK

GLASS PIPES

GLASSES

LENSES

MARBLE

MICROSCOPE

MIRROR

PAPERWEIGHT

PETRI DISH

PHOTOCOPIER

PIPETTE

SCHLENK LINE

SCULPTURE

TELESCOPE

TEST TUBE

VASE

WINDOW

38 Palmistry

```
D I H I R U N V S I F L U S X
O K E P P A S T L I F E R I F
M O A Z E F A T E L I N E W G
I A D A I A G H J F T I N L R
N T L S M E R C U R Y L I N E
A J I T R A I T A P T N L C D
N P N I I E U V H I L O O H A
T N E M A R E P M E T I L A E
H L I F E L I N E Q L N L R R
E P O L L B R L R A E U O A D
I P I I I F E U A R R M P C N
P F N L E M S I L S U M A T A
E E K W E A E N I L T R A E H
S R T N F B U R E T A W X R R
Q F T X Q U Y W P I N L O W E
```

AIR

APOLLO LINE

CHARACTER

DOMINANT

EARTH

ELEMENT

FATE LINE

FIRE

FUTURE LIFE

HAND READER

HEAD LINE

HEART LINE

LIFE LINE

MERCURY LINE

NATURE

PAST LIFE

TEMPERAMENT

TRAIT

TRAVEL LINES

UNION LINE

WATER

41

39 Salads

```
O G G E Y R Z G O A M Y V O I
G G X G F G F A U A C D T J O
Y R S D R H U I G W U N R P A
A Y F E O T A T O P R D H N V
T S E W D X T M O S I Q J W O
I K H R L N S L G A L J A R R
D S C M A C A R O N I M V T I
V S E U W U P E Z J E F N R F
P H L S T N S R L V F C S R S
G L E H A N Q X N I M H U H L
R D A R A S E A C I H I S U T
E G C O R T O D N I T C L G L
T D F O O I W M R U E K O P O
I A E M B S N F I A T E T A O
C P N A E B P G W M G N I Q K
```

BEAN   FRUIT   MUSHROOM

CAESAR   GARDEN   PASTA

CHEF   GREEK   POKE

CHICKEN   HAM   POTATO

CHILEAN   HERRING   TUNA

COBB   MACARONI   WALDORF

EGG   MIMOSA   WEDGE

40 Teen Films

```
J Q S L W D N A L E I B M O Z
A M U D A U B D F L D W E K Z
I O C E J D F I M C E O A I T
Y O O T U S Y U F I S K N A F
A N P N M I L B R N C R G Q E
D L S A A A T D I O E A I U B
I I U H N E S F H R N D R A O
R G C C J C W H N H D E L M O
F H O N I J S S T C A I S A K
Y T H E M A Z E R U N N E R S
K A N A S T A S I A T N E I M
A C O L G R E A S E S O U N A
E U F L O W N E E T I D N E R
R W R E T R A C H C A O C L T
F P S Z N Y A R P S R I A H J
```

ANASTASIA

AQUAMARINE

BOOKSMART

CHRONICLE

COACH CARTER

DESCENDANTS

DONNIE DARKO

ELLA ENCHANTED

FREAKY FRIDAY

GREASE

HAIRSPRAY

HOCUS POCUS

JUMANJI

LADY BIRD

MEAN GIRLS

MOONLIGHT

MULAN

TEEN WOLF

THE MAZE RUNNER

WEIRD SCIENCE

ZOMBIELAND

41 Boxing Terms

```
X H C N U P T I B B A R O O Y
I Q C N P O E T A T L I V N T
O X O P P U S Z J U Y E O R G
L O U R E N W D R O R D U E O
O G N O R D I J K H E L T P Y
N N T M C F N Y A C X O P E O
G I E O U O G N I N O R O E L
C P R T T R D S Z U B K I K O
O P P E W P I D L P D R N E V
U I U R U O S P I W E O T T L
N L N N N U C S Y R D W J A I
T S C U O N H O O K R T C G U
M H H L P D D I M R A O O Q N
P R W G N I B B O B C O R I R
C C K T T I M S U C O F R F A
```

BOBBING	HOOK	POUND FOR POUND
CARDED BOXER	JAB	PROMOTER
COUNTERPUNCH	LONG COUNT	PUNCH-OUT
CROSS	NO DECISION	RABBIT PUNCH
FOCUS MITT	ONE-TWO COMBO	SLIPPING
FOOTWORK	OUTPOINT	SWING
GATEKEEPER	OVERHAND PUNCH	UPPERCUT

42 Boxing Hall of Fame Inductees

```
R U R R B D R S N A R T R C N
T E U W R U I L V L Z R Y I A
R R Y J L N Z H X D X W T P G
J O V F O P O R E K J I R B I
U B N U S H S L A M P F S T U
N I Q P V S A R M S T R O N G
G N A R L H O N T P H V W V C
K S A I O K H C S T I L K S M
O O B Y C S O W R S M H R T A
O N A I C R A M A A O A A S N
W A S L H L N R R Y M N W G C
A O I A E S E T I O T E L S I
U B L N K I I F S O C I D I N
L S I F Q N O S Y T L S S I I
H L O P E Z V N M P L R U T I
```

ALI	KLITSCHKO	MCGUIGAN
ARMSTRONG	LOCCHE	RAMOS
BASILIO	LOI	RIJKER
DE LA HOYA	LOPEZ	ROBINSON
DEMARCO	MANCINI	ROSARIO
JOHANSSON	MARCIANO	TYSON
JUNG-KOO	MARTIN	WOLFE

43 Micronations

```
N T P O Y A I S R J Y N E U S
P A A H N I T N O P W O T S J
S L D V D N A L S E K I V L I
S F N R O S E I S L A N D K Q
Q L O A D L L T P F B U T A W
L W D I D A A I G O T E L G I
O A E T N R I R B N T R L R R
A L R K C A C T A E A U L O T
T L C T C T T E A I R D W B L
P A I A V H R S S B P L E E A
U C A O L N I S I M M O A S N
A H A B J E O G S Q Z I T N D
A I Y G L L I H E K A N S U D
W A S S O L A T L D K Z E M N
C E I M Y Y C L R N I P E R T
```

LIBERLAND	RATHNELLY	TALOSSA
M'SIMBATI	REDONDA	TAVOLARA
MOLOSSIA	REUNION	VIKESLAND
NEW UTOPIA	ROSE ISLAND	WALLACHIA
NUTOPIA	SEBORGA	WESTARCTICA
PONTINHA	SEDANG	WIRTLAND
POYAIS	SNAKE HILL	ZAQISTAN

44 Spanish Provinces

```
D A R X I K A E I R U H A G P
R B B H U E S C A I S U E R U
C H Q T V S P E N A S L X A Y
Z A M O R A N L L E U O E N C
S V L Z O A L A S T U R I A S
F E L D V R M E Z B E C R D B
D B V A I A P R N O S E R A A
T U R I N L A D A C G V D R E
C R T C L E O A S E I A A U S
A G A N E L E D F U J A R U O
I O I E U T A U A O G U L A V
R S C L R L U I Z L C P N H Z
O A R A E T E C A B L A I T B
S Q U P T I H U E L V A U R E
M Y M D I L A R Z E W B V O A
```

ALBACETE	HUELVA	SEVILLA
ASTURIAS	HUESCA	SORIA
BADAJOZ	LUGO	TERUEL
BURGOS	MURCIA	VALENCIA
CIUDAD REAL	NAVARRA	VALLADOLID
CUENCA	PALENCIA	ZAMORA
GRANADA	SALAMANCA	ZARAGOZA

45 Gladiators

```
T R A T W P G M P N B H D E E
U E U O F I E H U X S D R O S
R L M M A T C H T I I P R A A
G J G E N T T S E R F L E T G
A M R V E B H P K L X U M A I
U U P S R Q R U Y F M E M S R
L A V I A F A N F A R E C E J
O I R O T U C E S U S O T A R
T T C O L L I M R U M O S J L
N A U T J U A M E B V E N U E
C E O N O M N F A S C E S U R
I F B E Y R O T C I V K R Y I
I E T I N M A S E R K P F R K
L D S L W N W G V E U R L X I
S P E C T A T O R C R P J S B
```

ARENA	GAUL	SPEAR
CLIENT	HELMET	SPECTATOR
COMBATANT	LICTOR	THRACIAN
DEFEAT	MATCH	VENUE
FANFARE	MURMILLO	VICTORY
FASCES	SAMNITE	VOLUNTEER
GAMES	SECUTOR	VOTER

46 Edible Salts

```
Y W A Z E R R J K I G P T A R
P K N E A A R E Q A D L S K T
R A A D M O E Y K U J E O E E
T M Y N E U L B N A I S R E P
G A A I A K M U T A H E F E S
N N L S L W O A Y E M T N L P
I A A A K P H M R S E O A L K
L L M O I A R A S A T U I I P
K A I P T A L A V S S I T V D
C K H G C P R A W A E R P N R
I W A U H G S O H Y L H Y I T
P K X S E F L R T A G L G E Q
R I T K N L E S E D R U E L F
U O A P E T I L A H I I R Y V
G L N Y C L R L H C S S U Y E
```

EGYPTIAN FROST

EINVILLE

FLEUR DE SEL

HALITE

HIMALAYAN

JUKYEOM

KALA NAMAK

KALAHARI

KANAWHA VALLEY

KITCHEN

KOSHER

LAKE GRASSMERE

MARAS

PERSIAN BLUE

PICKLING

SEA

SEL GRIS

SMOKED

SUGPO ASIN

UTAH

YELLOWSTONE

47 Tired

```
D T R D W Z R Y P E E L S M S
L U J D E D O M T U O O I T H
S S E S D R A I N E D W C V D
M E T F L E I A L R A A K R A
Y K L E C A L P N O M M O C E
A A A D R U N W S D Y W F L A
T M G U E E W I P N S O Y S U
V I G P X K O N G Y I Y O K V
I J E W H I R T Q I C N W A P
R W D I A T N O Y L R E U M S
O G S T U C O A W P A O R X A
U R N H S Z U P E R E N N N L
S P E N T M T W Y U E D A U R
J J A D E D O I O J N V C B A
L S G T D E U G I T A F O R I
```

BANAL	FLAT	SLEEPY
COMMONPLACE	JADED	SPENT
DRAINED	JET-LAGGED	STEREOTYPED
DROWSY	LOW	UNINSPIRED
EXHAUSTED	OUTMODED	UNORIGINAL
FATIGUED	OVERWORKED	WEARY
FED UP WITH	SICK OF	WORN OUT

48 Counties in California

```
N N E L G E O L R A T P U U V
M A C I Q I I H A D E M A L A
O H R Z K A K A W A I T E B U
D U S S S U J E R V C M R H E
O M P U A C Y H R E C A L P Y
C B L R E A L E I N D O L S S
E O S A S R A T R H G A L R M
C L L H I K S T E E A D M L L
S D D E E R S Y I W T O M O U
E T R O N L E D F S G N I K I
T B T R R I N P D L E S O F N
T L X L A A P I M S N E V M S
U A F H S R D L E I D R Y O E
B K O I L K S O A X V F N O S
P E D S R R F U P L U M A S O
```

ALAMEDA   GLENN   MADERA

ALPINE   HUMBOLDT   MODOC

BUTTE   IMPERIAL   MONTEREY

COLUSA   KERN   NEVADA

DEL NORTE   KINGS   PLACER

EL DORADO   LAKE   PLUMAS

FRESNO   LASSEN   SAN DIEGO

49 Outdoor Hazards

```
N S L O M E S S A V E R C C L
O C T I V Y D O A T J L S F M
I C E F A L L I G H T N I N G
T T L R P D O O L F H S A L F
S N R E I C A L G S A S E S R
U O B D R F P R F O D U A R J
A I M R E H T O P Y H N S Z R
H T Y A C H G S I Z D B A L O
X A B Z I X C L E S N U S L U
E R Q Z K H O N T R O R N P J
T D Y I C S Z O A S O N L V E
A Y H L A P R A K L U F I R A
E H T B L M T O R N A D O V M
H E T I B T S O R F J V S T Y
V D B A H Q C R O C K F A L L
```

AVALANCHE	FOG	LANDSLIDE
BLACK ICE	FOREST FIRE	LIGHTNING
BLIZZARD	FROSTBITE	POISON IVY
CREVASSE	GLACIER	ROCKFALL
DEHYDRATION	HEAT EXHAUSTION	SANDSTORM
DUST	HYPOTHERMIA	SUNBURN
FLASH FLOOD	ICEFALL	TORNADO

50 Equine Anatomy

```
O O L U A N A I M F E H G N E
S B N T S L I A T O G R E R U
L H O T C H I N G R O O V E I
B A R R E L X S X E D C I T L
R L C A N N O N R H H Q G S T
V K G X K C O L T E F G A A N
W C C G V T R R S A H Z S P H
S E N R R S E T O D K T K G W
M A F O O H N A J C I W I A C
T N O Z L U O C E F W O N W S
A Q S H T D P R L K S W U T C
N Z T W O B L E Z L Y R E L H
R W D C T C S S Z S O R J Y B
S B K Y T R K T U Q T N W U P
L E F R D R P T M I B L E T A
```

BARREL	DOCK	HOCK
CANNON	ELBOW	HOOF
CHESTNUT	ERGOT	MUZZLE
CHIN GROOVE	FETLOCK	PASTERN
CORONET	FOREHEAD	STIFLE
CREST	GASKIN	TAIL
CROUP	HEEL	WITHERS

51 2020 Albums

```
J U X Y P P A H R A E D E S E
G L H E Y C L O C K F A C E W
P T P A P T R S A A O R T I Z
S R O L P W T M I O L K I T N
Y A S A A D X I C U K M P I O
A M I W H S R L I G L A A R F
T O T O N E T E L B O T O A U
D N I N W S R I A Z R T V R N
G O O D O Z E O C M E E R E M
D L N E D D T O S H L R R H O
S H S R P C N S G D E A O T N
B I G G E R L O V E E A N S D
C O N F E T T I C U V A R D A
V G O O D N E W S Z Q O T T Y
S Z I Q X U Y E H W R T L H S
```

A HERO'S DEATH	DREAMLAND	PLASTIC HEARTS
ALICIA	FOLKLORE	POSITIONS
BIGGER LOVE	GOOD NEWS	SMILE
CONFETTI	HEY CLOCKFACE	THE RARITIES
DARK MATTER	HEY U X	ULTRA MONO
DEAR HAPPY	LOVE GOES	WONDER
DEEP DOWN HAPPY	NO FUN MONDAYS	ZEROS

52 Olivier Award-winners for Best New Play

```
E O J T D A T S D L O P O E L
R C L Y B O U R N E P A R K I
A S N N B L A C K B I R D I C
C T C A A L K C Y E N T I J O
I A H S T M A G O A T S U B L
N N I E L I Y C Y D E T R A L
G L M S P N R R K L O O E R A
D E E O A I H E R W K B S I B
E Y R N L B L A H E A R O E O
M C I D H B H L N N F T L W R
O Y C E S C E G O G I E C E A
N Z A R G I L B P W M E H H T
P O T N I A T N U O M E H T O
T E I P S A R C A D I A N T R
A K D S K Y L I G H T C N H S
```

ARCADIA

BLACK WATCH

BLACKBIRD

BROKEN GLASS

CHIMERICA

CLOSER

CLYBOURNE PARK

COLLABORATORS

HANGMEN

JITNEY

KING CHARLES III

LEOPOLDSTADT

RACING DEMON

RED NOSES

SKYLIGHT

STANLEY

THE FERRYMAN

THE INHERITANCE

THE MOUNTAINTOP

THE PILLOWMAN

THE WEIR

53 Prime Ministers of Italy

```
P E T O I R V T I O G S R S I
S P A G I S S O C R A X I S B
E F L A H N C R A I R O G I H
I R D I G C A L E B P I P N E
D X O Y A E G L E N A M T O W
S X S E R C T P R N Z T A L R
T I R R D S P A D O L I N I L
G P Z U S S O R M D F S Q T C
O T L C M X E I F E N U Y N U
O B M O L O C L N M L C S E T
R A R N T T R A E I O A S G E
M P K T T A X O N T D N D U K
N I I E I M L B O A T O T T V
A N S P U A K I E N U A R I X
K A R L N D L G L L E G Q P E
```

AMATO	D'ALEMA	LEONE
ANDREOTTI	DE MITA	LETTA
CIAMPI	DINI	MONTI
COLOMBO	DRAGHI	PRODI
CONTE	FORLANI	RENZI
COSSIGA	GENTILONI	RUMOR
CRAXI	GORIA	SPADOLINI

54 Perfumes

```
I R A D V E N T U R E U L E Q
F L E A U R O S E Y S K A S Q
C I I I G A A L O N D O N D
R T F S T R S Z A I U F S Q O
T U L Y G L O U X K I L S S M
K O A A T T U H U O T O E L O
O Y S M U F R A P E L W C L U
K S H E B O U T G U E N H W
O G U E S S G I R L E R I O J
R S U Y I R U V A X T B R M A
I G N L X F W E L X N O P M D
C L T L K U V C R J E M L E G
O E O Q S E L L O D Y B A B B
N V L D R T V O I C X C E P Z
E R D N E T A D A R P N V T Z
```

ADVENTURE	GAULTIER	NUIT
BABY DOLL	GUESS GIRL	PRADA TENDRE
DAISY	KOKORICO	PRINCESS
DOLCE VITA	L'EAU ROSE	REVEAL
EUPHORIA	L'HOMME	SARGASSO
FLASH	LE PARFUM	UNTOLD
FLOWERBOMB	LONDON	UOMO

55 Successful Olympic Swimmers

```
J P T F S Q Z E E G R K Q C A
V O P O P N J I U R B E D D A
B J H S R E M L L O V L R R D
M R E C Y K C E D E L I P O H
Y E L R E Y I B M A A G C B U
B S P I S D N Z T N L E I U S
L A S J W N I M H E O Z S U S
S R E D N A L L O H C S L G U
T F H Z O V K U M Q H R R L S
O U T T T V N U P I T E R B Y
N R T I Q O A J S H E G R S F
M O A P E I R S O L D E B F X
Y R M S V W F R N R M T L U J
P I W I L G P W E N D E R S P
S O J A G E R L T S R J H T Y
```

ADRIAN	LEDECKY	SCHOLLANDER
DE BRUIJN	LOCHTE	SPITZ
EGERSZEGI	MATTHES	THOMPSON
ENDER	OTTO	THORPE
FRANKLIN	PEIRSOL	TORRES
FRASER	PHELPS	VAN DYKEN
JAGER	POPOV	VOLLMER

56 Extinct Languages

```
F H N A O K T Y I I S T E L S
S B V T O C K I J T H G R C C
U U P L D C T U A S P T A S N
S S M A Y N H I G U S P E R C
P E I E E L N K P D U F N P H
C Y O D R O H L I O W R I H U
V U S A E I N R Q V H A T R R
K C C A T T A I C I A N S Y R
H I A A A E I N A A U K I G I
T N N I T N D C D N O I L I A
L N A I P T A R T E S S I A N
I U C I X X K I C A E H H N I
N H P H W N K R C Y S S P G I
S H S I L U A G C A I R Y S A
T O R X R C L L U G D E A T V
```

AKKADIAN

DACIAN

FRANKISH

GAULISH

GAYA

HUNNIC

HURRIAN

KHITAN

LUWIAN

OLMEC

OSCAN

PAEONIAN

PHILISTINE

PHRYGIAN

RAETIC

SIDETIC

SUDOVIAN

SUMERIAN

SYRIAC

TAINO

TARTESSIAN

57 At an Amusement Park

```
K J I Y O E U Z R A O T A P O
D N A L O G E L D G G A A V C
I V R Q A D M I S S I O N Z B
S N O I T C A R T T A B R E L
N O L E C I N C I P O R M E V
E R L E E H W S I R R E F I E
Y T E S S Y A C H V H P F T O
L I R M R O A I J T Z M T L B
A V C G U R U W R E V U I W N
N A O N O L C V L L R B C I P
D R A U C K F B E I I R K S W
C G S F F S A G L N A F E M Z
R E T S L O X R O R I R T S Y
L N E M O R O F T L H R S O I
A R R U G I A D B S D I P A R
```

ADMISSION	FOOD	PICNIC
ATTRACTIONS	FUN	RAILWAY
BUMPER BOAT	GO-KARTS	RAPIDS
CAROUSEL	GOLF COURSE	ROLLER-COASTER
CHAIRLIFT	GRAVITRON	SOUVENIR
DISNEYLAND	LEGOLAND	THEME
FERRIS WHEEL	LOG FLUME	TICKET

58 Fishkeeping

```
G Y R Z G K S I O F D T W M A
R E O E N K O E F R O I R S R
S C R R M A R I N E G Y X O A
P O E U S S Y P T S H H S R U
O S T T T A P E Y H S S O E S
L Y L A N L P P A W I I Y R R
L S I R A T U A Y A F F Y J S
L T F E L W G C T T D L L E V
K E S P P A U S I E L E A P I
U M O M M T Y A L R O G R L G
P N A E E E S U A E G N O P S
D A T T T R I Q U S T A C X R
W T L A S H P A Q K E T V E V
V Y N D I L H C I C I Z J F X
Q K I G W G H C C Y Z D F N R
```

AGRICULTURE   FRESHWATER   POND

ANGELFISH   GOLDFISH   QUALITY

AQUASCAPE   GUPPY   SALTWATER

CICHLID   KOI   SPONGE

CORAL   MARINE   STEM PLANTS

ECOSYSTEM   ORFE   TANK

FILTER   OXYGEN   TEMPERATURE

59 Figure Skating

```
S P L I T T W I S T R R K A P
C L T O O F H C T A C I C T A
R A P D O E P D R S Q P I E N
A Y T M L P D R L M U P P D C
T B D T U O J G T F A O E A A
C A E C I J H U E N D N O N K
H C A A C T Y N M J R J T C E
S K T M A A U L A P U U D E S
P S H E Q A X D F I P M U S P
I P S L O E G E E R L P P P I
N I P S N N A M L L E I B I N
R N I P L R X A W J J T K N Z
F Q R I K C I K E L U M T J R
Q F A N S P I R A L M M N U S
S A L C H O W J U M P U P B B
```

ATTITUDE	DEATH SPIRAL	PANCAKE SPIN
AXEL JUMP	EDGE JUMP	QUADRUPLE JUMP
BIELLMANN SPIN	FAN SPIRAL	RIPPON JUMP
BUTTERFLY JUMP	KILIAN HOLD	SALCHOW JUMP
CAMEL SPIN	LAYBACK SPIN	SCRATCH SPIN
CATCH-FOOT	LOOP JUMP	SPLIT TWIST
DANCE SPIN	MULE KICK	TOE PICK

60 Songs Recorded by Prince

```
E L L E C P D U S U S K H M E
U E T A H I M W M O I P T S B
P T Y M V N Y U U S L O U T A
T I N H P K N Z S V R S R I C
O T A P C C A Y I V I U T L I
W G M U E A M C C C G P E L R
N O Y R C S E V O D N E H W E
O L T P N H I P L Y O R T A M
O D R L A M S A O M M C U I A
S H A E D E P L G T A U X T Q
P E P R T R R P Y R N T O I N
T S U A A E I I R A N E F N L
U L Y I B H N R A T I U G G O
B W U N O G C H V E C L O J U
T R A S P B E R R Y B E R E T
```

AMERICA	LETITGO	PURPLE RAIN
BATDANCE	MUSICOLOGY	RASPBERRY BERET
CINNAMON GIRL	MY NAME IS PRINCE	STILL WAITING
GOLD	NYC	SUPERCUTE
GUITAR	PARTYMAN	THE TRUTH
I HATE U	PEACH	UPTOWN
KISS	PINK CASHMERE	WHEN DOVES CRY

61 The Environment

```
M T D B I O S A F E T Y N L G
O V E R P O P U L A T I O N R
T S F A Y N O I S O R E I Y G
H I O I G K E U G V S F S R L
E R R O F S T B I I R E O O
R B E P L A U Z Y S C E P E B
N E S O O I D W H H N S O H A
A D T L C R N F G B N O L T L
T E A L E T A Q U I R U L A C
U C T U S R L I H C Y R U I H
R A I T M A L A H M L C T A A
E P O I H D Z A Q Y I E I G N
P S N O I E R T S O P M O C G
A G B N I D R O U G H T N T E
M E G N A H C E T A M I L C A
```

AIR POLLUTION

BIOSAFETY

CLIMATE CHANGE

COMPOST

DEFORESTATION

DROUGHT

ECOLOGY

EROSION

FAIR TRADE

FISH FARMING

GAIA THEORY

GLOBAL CHANGE

GREEN BUILDING

HAZE

LAND USE

MOTHER NATURE

NOISE POLLUTION

ORCHARD

OVERPOPULATION

RESOURCE

SPACE DEBRIS

62 Animators

```
Y T E L R F T X E N C T D V E
A I E E A B Y F J A D A C P T
S A U U U S K R Q Y V E H D S
F A S R E M S I X L P D I A E
T T T Z L I A E S O Q S B V A
T O L J W Y L D T R N H A S A
N C Q A J A K M S E Q A E U A
O O S C W Z S A Y H R E V G X
S A I Z S A R N T C S A N A V
R R R E F K N A H S K I U R C
E O A S A I T A R I N J N E T
D E Y N J V K W H E G D U J K
N O N A R A E M O L A Z P U R
A A K E S F C R O F N A U L N
H N K Z A K G Q Y Y Y O R E B
```

ANDERSON	FLEISCHER	KLASKY
AVERY	FRIEDMAN	LASSETER
BURTON	GROENING	LEAF
CHIBA	HANAWALT	MIYAZAKI
CRUIKSHANK	HANNA	NAYLOR
DISNEY	IWASA	O'MEARA
FAUST	JUDGE	SUGAR

63 Fictional Police Detectives

```
B U C S K T K C F T N I T H L
D T L R E D A O Y E J A P P R
T J Y U R A G A M I L L E R R
H Z E N A I L O Z Z I R F R B
K A D Y B Q U M V I A R S S P
X A R S S N M C C L A N E D Q
E F O Q L K T T T N C R D L D
N N B E R P Y A T O U Z A I D
E A B S B E R E H T U L R H U
J X R E Z G L L A P U E T C O
I Y C Q T J E Y R R O P S Y O
L Z R X Z Q R T T E K C E B L
X I E O Z L G C I B M I L L S
R C L P C S L J L U P O T W A
G M S L S I S C A S R L R A E
```

BAREK	HART	MILLS
BECKETT	JAPP	O'HARA
BORDEY	LESTRADE	PERALTA
CHILDS	LUTHER	REBUS
COHLE	MCCLANE	RIZZOLI
DIAZ	MCNULTY	SKYE
GIBSON	MILLER	TYLER

64 Double 'C' Words

```
B E I S S S Y S L Y X O S U G
L W G Y T T S L C P S U N E L
E T N T N B S E N U C S E C S
T A O I A T T O C C U L T I E
A I C L P A O C E C N S V L S
R C C I U C I S C O Y A A P L
U C H B C N S E N E L U C M N
C A I A C I S E A R U C C O J
C C R T O S C T D P U T I C O
A O R N F T T L R U R S N C A
N F U U A A C C O L A D E A U
I F L O N U J A C C R U E H W
Y L T C P T J A C C I D E N T
Z I S C S L W O A P Z T F O F
E B Z A C C U M U L A T I O N
```

ACCIDENT	FOCACCIA	PREOCCUPY
ACCOLADE	GNOCCHI	RACCOON
ACCOMPLICE	INACCURATE	SUCCESSION
ACCORDANCE	OCCASION	SUCCINCT
ACCOUNTABILITY	OCCULT	UNSUCCESSFUL
ACCRUE	OCCUPANT	VACCINE
ACCUMULATION	OCCUR	YUCCA

65 Equestrianism

```
H E L M E T T S A E L U Y T W
A E C O C O H P I E S A J B T
U E T N N G O O S Y S Q Y W R
L K E G A I R R A C E E S F A
P G C Q T R O T T I N G L I G
A P N Q S H U U M D R U Y N U
X P E I I G D G L A E E I J
T T F Y D B H R N Y H Z K S G
R Y G U Q I B I I E R S C H Y
I S N B U L R V T P O U O S T
J D I D R L E I L U P P J T R
Z N C Z O E D N U M B I T N D
O S A D D L E G A S S E R D I
U F P K E Q R D V L T E S S L
X X S T O H L S S Y J J O D U
```

BREED

CARRIAGE

DISTANCE

DRESSAGE

DRIVING

ENDURANCE

FENCE

FINISH

HARNESS

HELMET

HORSE

INJURY

JOCKEY

PACING

RIDING

RODEO

SADDLE

SPORT

THOROUGHBRED

TROTTING

VAULTING

66 Britain's Busiest Stations

```
H  T  R  O  P  R  I  A  K  C  I  W  T  A  G
L  E  P  A  H  C  E  T  I  H  W  J  E  I  L
A  E  L  E  E  D  S  E  N  W  C  U  N  R  A
R  R  G  G  V  Q  L  I  R  A  S  O  O  O  S
T  T  N  D  I  S  A  N  N  T  D  F  D  T  G
N  S  I  I  P  S  A  O  E  P  A  Y  C  O
E  L  K  R  I  R  D  N  L  R  R  R  O  I  W
C  O  R  B  L  A  B  B  I  L  E  R  R  V  C
F  O  A  M  W  R  M  N  R  O  A  I  C  A  E
F  P  B  A  I  I  U  O  O  O  D  N  T  A  N
I  R  T  C  W  S  O  L  O  D  I  G  S  L  T
D  E  G  B  R  I  G  H  T  O  N  D  A  R  R
R  V  A  U  X  H  A  L  L  G  G  O  E  Z  A
A  I  D  R  O  F  T  A  R  T  S  N  L  X  L
C  L  A  P  H  A  M  J  U  N  C  T  I  O  N
```

BARKING	EUSTON	READING
BRIGHTON	FARRINGDON	STRATFORD
CAMBRIDGE	GATWICK AIRPORT	VAUXHALL
CANADA WATER	GLASGOW CENTRAL	VICTORIA
CARDIFF CENTRAL	LEEDS	WATERLOO
CLAPHAM JUNCTION	LIVERPOOL STREET	WHITECHAPEL
EAST CROYDON	LONDON BRIDGE	WIMBLEDON

67 Mango Varieties

```
X N I T F V J Q Z R E T B A U
T O M M Y A T K I N S L X B S
O I K S K L I Q L O P O L O U
T T B A U E E L L F R Y P G E
A A C P K N N R O S I G O L D
P S D T N C S T O I N Y B U R
U N T Q R I D E A N G Z A M O
R E S S V A G O T D F N Y H O
I S S O M P N S R H E T U S I
B R R H A R I O J R L I T O O
L Y U R V I O C G I S E L O Y
D S V P K D Y Y O I E M T U L
O I H H S E K Y D N A V M A J
N T Q N S A F D P E H S L F P
K T Z A N S R R O E L G Z I H
```

IVORY

JULIE

KENT

MULGOBA

OSTEEN

PARVIN

PICO

RASPURI

ROSIGOLD

RUBY

SAIGON

SENSATION

SINDHRI

SPRINGFELS

SUNSET

TOMMY ATKINS

TOTAPURI

VALENCIA PRIDE

VAN DYKE

YOUNG

ZILL

68 Cities in Africa

```
X C A I R O N W L L N R A E O
R S B B A N I G I U M N M V N
E L I O A N R R O K A M A B U
A U D R C B A U S T P N P D G
I S J I N C A B R A I W D T I
M L A A A S L E A J O U A Z
T L N N L I E E I I A T R D A
V K T E B D X N G D A E L O S
S V U A A X A N L L D P S U A
O L D M S R N A A O N A K A H
Y A L J A A D H T G H C T L S
N G S E C S R O M D U R M A N
X O T D Z H I J T R I P O L I
L S A P J Z A R C C A O L S K
V H R O U B A G R M E G T T Z
```

ABIDJAN	CAPE TOWN	KINSHASA
ACCRA	CASABLANCA	KUMASI
ADDIS ABABA	DOUALA	LAGOS
ALEXANDRIA	GIZA	LUANDA
ALGIERS	IBADAN	NAIROBI
BAMAKO	JOHANNESBURG	OMDURMAN
CAIRO	KANO	TRIPOLI

69 Viking Warriors

```
H G N I E T S A H Y I E A W M
Z S I G U R D H A R T K B P I
W D L E N E V S R D O R N U G
Y I V X R R M Z A P A E K T D
G B O L L I B O L L A S O N H
U M R F U K C A D K U T A A E
T A R U D T R B B R V I H D P
H L I J R H D R L B V V T F A
R D E R L E N D U O U H R L O
U N G H Z R U I E Y O O E A R
M I Y L P E M K T R L D G H I
B V E F M D I U O L H A A B S
K Y R W H A G R O L D T L X R
T E F S S E N G T A U H U C E
Q A Y R E G I N H E R I Z G H
```

BOLLI BOLLASON

ERIC BLOODAXE

ERIK THE RED

EYVIND LAMBI

FREYGEIRR

GUNROD

GUTHRED

GUTHRUM

HAGROLD

HALFDAN

HARALD BLUETOOTH

HASTEIN

HERSIR

HVITSERK

INGIMUNDR

LAGERTHA

REGINHERI

ROLLO

SIGURD HART

SVENELD

UBBA

70 Gangster Films

```
W H I T E H E A T H C T A N S
K N A M H S I R I E H T J M Y
G B R A S E A C E L T T I L O
O O V T L E G E N D F Z R S B
T Y P Y A W S O T I L R A C X
T Z S A L L E F D O O G B A E
I N F E R N A L A F F A I R S
E T H E S I C I L I A N O F S
T H E D E P A R T E D T M A E
F E L A T X N O R B A J H C M
T H E U N T O U C H A B L E S
R O C K N R O L L A A A C P R
C O N T R A B A N D Z T N T A
E D A X T E K A C R E Y A L F
R O A S I L A N O M I J C P R
```

A BRONX TALE

BOYZ N THE HOOD

CARLITO'S WAY

CONTRABAND

ESSEX BOYS

GOODFELLAS

GOTTI

INFERNAL AFFAIRS

LAYER CAKE

LEGEND

LITTLE CAESAR

MONA LISA

ROCKNROLLA

SCARFACE

SNATCH

THE DEPARTED

THE GODFATHER

THE IRISHMAN

THE SICILIAN

THE UNTOUCHABLES

WHITE HEAT

71 Cartoons

```
X C I E F P Z L R H Z X B G S
A O S U W R A F S G R T S E N
P R N F K N O S Y F T P U S O
H T R K R A Z Y K A T O T F O
O O A D D U C K B U R G R T G
E M H C L T M U T T S O B R A
N A Q U E E N S C O U N S E L
I L L L N H I G E N I U S B S
X T L D O W T F A H A G Y L N
R E V E B Y N Z R S T R L I A
O S Q S M A Y H T A C L V D M
A E A A N Q N E I I G A I L R
W T R C R Y R A D V R K A S E
T G Y E P I J U A O M F L C H
M F P T X T H E M O O M I N S
```

ASTERIX	FRITZ THE CAT	PHOENIX
BONE	GARFIELD	POGO
CATHY	GENIUS	QUEEN'S COUNSEL
CORTO MALTESE	KRAZY KAT	SHERMAN'S LAGOON
CUL DE SAC	MAD	SYLVIA
DILBERT	MUTTS	THE MOOMINS
DUCKBURG	NANCY	THE SMURFS

72 Cartoonists

```
A T U G D A R X L T G S I E T
F S I L A T W N E Y E N N I K
S S V H V X Q R W H L A K X I
A W D G I Y Y O A R C B A D E
E O E N S L H E A G W O S R L
T R B H O L L A N D E R R R Y
R D S R T M F E N S A S J M T
A S H B E T M Y N D I S U C N
Y M U I N A A I E B F D K G A
O A A T D M T M S N U O H R H
E D P P P T H R X R R U H
R A B U N K A J E R M O G D U
A M Z A T J E C D D Q R F E K
O R I Y V I B Y N F Y U T R M
L A R T E Z U K A P H I Y W P
```

ADAMS	HANDFORD	MCGRUDER
ANDERSEN	HILLENBURG	NABORS
BREATHED	HOLLANDER	ROCHE
BUNK	KAJERMO	SEGAR
DAVIS	KIELY	SIMMONDS
DISNEY	KINNEY	SWORDS
FORNEY	MATTHEWS	TEZUKA

73 Web Design

```
T N O S W S N I G U L P C X T
L O C R O S E S S E C O R P
I P M O R F O A U D I E N C E
A M A T R O B F B R O W S E R
D T R A U I T R T T M L U H E
M X K D L O I C U W N A M O T
H E E I V T Y P E F A C E M S
L T T L U B I A A V U R R E A
D Y N A M I C C L R S T E P R
G D E V E L O P M E N T L A K
I O G S S N V G P T G H I G U
C B X C T E L A N G U A G E U
O U D E V I C E V E S M P U D
A W N R X I L Y T R M U E C P
U T U G R A P H I C S H A Z V
```

AUDIENCE	DYNAMIC	PROCESS
BODY TEXT	GRAPHIC	RASTER
BROWSER	HOMEPAGE	SOFTWARE
CONSUMER	LANGUAGE	TYPEFACE
CONTENT	MARKET	USABILITY
DEVELOPMENT	PAGE LAYOUT	VALIDATORS
DEVICE	PLUG-INS	VECTOR

74 Largest Craters in the Solar System

```
R E M B R A N D T S X U P S I
D V R H N Z O K Q N L O S P N
N A H E S V R E D E F O R T T
F Q E I T E T R S P S O O M S
I L E M T T H W W R C H T U U
A A T D A O P A M E S M D I E
L I Y A O D O N L S A B C R S
L P V L H L L L H Y U A E B S
A O P L L Y A E Y R L E P M Y
H T S L I R R Y Y O O V I I D
L U A S U S B B R M X A G L O
A R L M C L A I E N E N E V X
V E L H C S S E A U D D U A G
H R E R I R I P H A T E S H T
N L H N V R N S L R O R A I S
```

CALORIS	KERWAN	SERPENS
EPIGEUS	MEAD	SUDBURY BASIN
EVANDER	NORTH POLAR BASIN	UTOPIA
HEIMDALL	ODYSSEUS	VALHALLA
HELLAS	PROCELLARUM	VENENEIA
HERSCHEL	REMBRANDT	VREDEFORT
IMBRIUM	RHEASILVIA	YALODE

75 Fictional Diaries

```
P R R T A L R O H E H T S L L
A T U N Y A W A N U R S B M E
I D E A R D U M B D I A R Y S
P S E C O N D H E L P I N G S
O G O D T A H T E V O L G Z E
T N D R A C U L A E S U A N I
O Y O B E S U O H L Z A D M R
N S E I R A I D T R E B Z L A
I O I D A N G L I N G M A N I
D I A R Y O F A M A D M A N D
T H E B A S I C E I G H T P K
E T L O V E R N I H T U O Y R
T H E M O T H D I A R I E S O
B F O Y R O T S E H T S P U D
T H E B U N K E R D I A R Y A
```

BERT DIARIES

DANGLING MAN

DEAR DUMB DIARY

DIARY OF A MADMAN

DINOTOPIA

DORK DIARIES

DRACULA

HOUSEBOY

LOVE THAT DOG

NAUSEA

NOTES ON A SCANDAL

PAMELA

RUNAWAY

SECOND HELPINGS

SPUD

THE BASIC EIGHT

THE BUNKER DIARY

THE HORLA

THE MOTH DIARIES

THE STORY OF B

YOUTH IN REVOLT

76 Sauces Around the World

```
A P U H C T E K B E A U M R R
G I U E R R D S U L W T T T T
P C G A R L I C F P Y X O A T
E O M T D Z P R F P L U M U S
A D E A Z P E A A A H O C R D
N E S I A D N A L L O H T E R
U G E B O I E A O X I A S D J
T A N B R E A D L M S R A N T
U L G A M A T R I C I A N A K
F L O R A S G C A R N I P M E
J O L R W G H R A N W K T E A
B T O A Q U U C R B I C H L Q
L U B A R S H I P T P R D L H
B S W R O A S L A S P R A A R
D R I W D A R E T S B O L M G
```

ALFREDO	BUFFALO	LOBSTER
ALLEMANDE	CARUSO	MARINARA
AMATRICIANA	CHIMICHURRI	PEANUT
APPLE	GARLIC	PICO DE GALLO
ARRABBIATA	HOISIN	PLUM
BOLOGNESE	HOLLANDAISE	SALSA
BREAD	KETCHUP	SRIRACHA

77 Quiet

```
E X L H R W P D M E Z H A W M
S W R S U E R R E M P S N H G
D O B P O H L E P U M S S I T
E L F H R U U A E T L T P S R
H C O T P I N S X E A I E P Y
S B S P X O V D H I C L E E R
P E E L S A Y A L E N L C R A
L I U Q N A R T T E D G H E T
Z L R V O I C E L E S S L D I
T C N I T S I D N I U S E S L
R R P E A C E F U L A T S I O
Q E C S D E L F F U M U S L S
U K U H S P E Q U L Z V T E M
F A I N T U R I O E M W R N I
S S N O I S E L E S S X A T S
```

CALM	NOISELESS	SOLITARY
FAINT	PEACEFUL	SOUNDLESS
HUSHED	PRIVATE	SPEECHLESS
INDISTINCT	RELAXING	STILL
LOW	SILENT	TRANQUIL
MUFFLED	SLEEP	VOICELESS
MUTE	SOFT	WHISPERED

78 1990s in Fashion

```
S L I P D R E S S N A E J O J
G S S N I U Q E S T F H B A S
I N T F L A N N E L S H I R T
Z I I R T M O T R S L O R B O
Y S A C I A S G D R S D K O O
K A E L R H T D L A E G E M B
C T Q G P E S T L F O G N B T
E I D O O H I T O U H U S E A
N N T L L I R P D O S I T R B
E S R E V N O C Y N T O O J M
L E O T A R D S B D A O C A O
T L U P Y A O P A S O B K C C
R U W R A Z Q S B J B B S K O
U M W C L O G S G N I G G E L
T L I K I N I M N A T R A T Z
```

BABY DOLL DRESS

BAND T-SHIRTS

BIRKENSTOCKS

BOAT SHOES

BODY PIERCING

BOMBER JACKET

CLOGS

COMBAT BOOTS

CONVERSE

FLANNEL SHIRT

HOODIE

JEANS

LEGGINGS

LEOTARDS

MULES

SATIN

SEQUIN

SLIP DRESS

TARTAN MINIKILT

TATTOO

TURTLENECK

79 Bird-watching

```
Q M J V T T U S E I C E P S A
W I L S S P X J T S E R O F N
Y G O L O H T I N R O W P F O
B R Y V Y B B O H F E V U L I
K A G G Y H B W E B B A L N T
D T G N I R P S C A I P A O A
T I R B R J S A M U R I T T V
E O L V I I M A R U D C I E R
L N S P O T T I N G S C O P E
E V G N L E T R I P O D N A S
S R A L U C O N I B N T Q D B
C L A R R X G R T U G E O O O
O J L E V A R T A T I B A H N
P J R S M O A I Q H L R T J P
E F I L D L I W R P S R S M H
```

AMATEUR	NOTEPAD	SPOTTING SCOPE
BINOCULARS	OBSERVATION	SPRING
BIRDSONG	ORNITHOLOGY	TELESCOPE
FOREST	PHOTOGRAPHY	TRAVEL
HABITAT	POPULATION	TRIPOD
HOBBY	PROFESSIONAL	WEBCAM
MIGRATION	SPECIES	WILDLIFE

80 Toys

```
S I L L Y P U T T Y Q G V W A
U T R A T T L E M Q K B P N T
O P R H P A R G O R I P S E R
G R T A P O Z S D E T S P I J
E O E A N U O C E R E L L R D
L C A P L S H H L I A I E A L
H K S L O V F L A T Q N E E L
O I E O I C Z O I L M K H B O
D N T I O X S G R W U Y W Y D
Y G A P P Z I O C M M H N D A
A H L C S D A J R O E R I D N
L O L O C L I K A Y E R P E I
P R K L I E J R F O G C S T H
S S W C V P M T T Y I S C P C
R E N N I P S T E G D I F X M
```

CHINA DOLL

DIGITAL PET

FIDGET SPINNER

GYROSCOPE

HULA HOOP

KAZOO

KITE

LEGO

MECCANO

MODEL AIRCRAFT

PINWHEEL

PLAY-DOH

RATTLE

ROCKING HORSE

SILLY PUTTY

SLINKY

SPIROGRAPH

TEA SET

TEDDY BEAR

TRANSFORMERS

YO-YO

81 Songs from Films

```
R E V I R N O O M H C L Y L A
H O B O K A L X T N H T B U E
S V O B C M M P M S E B S A V
D E R E O E A E H U E U E R I
O R N E R R N O T M K T O E L
R T T R E I R P Y M T O G G A
E H O E S C I L H E O N E N N
M E B H U A V E R R C I M I I
I R E W O P E H T T H G I F Y
Y A W E H R R X O I E H T D A
F I I M L E G A G M E T S L T
S N L O I F P T I E K W A O S
Z B D S A Q U A R I U S I G I
M O S M J Z U T E R A B A C L
T W E N O S N I B O R S R M T
```

AMERICA

AQUARIUS

AS TIME GOES BY

BORN TO BE WILD

CABARET

CHEEK TO CHEEK

DO RE MI

FAME

FIGHT THE POWER

GOLDFINGER

I GOT RHYTHM

JAILHOUSE ROCK

MOON RIVER

MRS. ROBINSON

OL' MAN RIVER

OVER THE RAINBOW

PEOPLE

SOMEWHERE

STAYIN' ALIVE

SUMMERTIME

TONIGHT

82 Kitchenware

```
G A R L I C P R E S S R O W A
M D N I T N I F F U M L R J C
A R S U E Q Z N U N S U T O P
N A A N L Q Z R A K A H F E F
D O C F L Z A T E P S F P J R
O B O S I Y S K R I E P R V Y
L G L P K C T W D E E K K P I
I N A A S A O G P R T N A T N
N I N T O N N R M E I A H C G
R P D U C I E I F V E L R J P
Z P E L K S L D E W T L V G A
O O R A S L N S O O H E E O N
L H B R P G P Q N O T I M R I
O C M I X I N G B O W L S X I
R P C O R K S C R E W P J K N
```

BAKING DISH

CAKE PAN

CHOPPING BOARD

COFFEE PRESS

COLANDER

CORKSCREW

FRYING PAN

GARLIC PRESS

GRATER

KNIVES

MANDOLIN

MIXING BOWLS

MUFFIN TIN

PEELER

PEPPER MILL

PIZZA STONE

SKILLET

SPATULA

TONGS

WHISK

WOODEN SPOON

83 Tornado Terms

```
I  H  S  S  Y  R  O  Q  Q  R  A  T  F  T  F
B  S  E  I  N  S  T  A  B  I  L  I  T  Y  P
O  C  C  L  U  S  I  O  N  E  L  N  A  I  E
U  O  A  O  P  R  I  F  T  R  O  T  E  P  N
N  U  X  Y  Y  E  L  A  C  I  G  F  R  R  D
D  R  H  T  N  O  R  F  T  O  P  N  A  O  A
A  I  P  L  W  E  G  A  C  S  R  A  E  B  N
R  N  Q  J  S  E  T  L  U  A  V  E  V  E  T
Y  G  E  P  W  O  L  G  N  I  L  L  I  F  S
R  T  A  G  R  O  U  N  D  T  R  U  T  H  G
Z  L  F  P  R  D  E  E  P  S  H  E  A  R  F
S  Z  T  Z  L  I  G  H  T  N  I  N  G  R  L
F  P  U  S  U  B  S  I  D  E  N  C  E  O  T
R  G  A  T  D  U  O  L  C  L  E  N  N  U  F
I  G  S  A  Q  R  W  P  L  P  N  H  Y  S  E
```

BEAR'S CAGE	FUNNEL CLOUD	OCCLUSION
BOUNDARY	GROUND TRUTH	PENDANT
CLOUD TAG	INFLOW JET	PROBE
CORE	INSTABILITY	ROTATION
DEEP SHEAR	LAPSE RATE	SCOURING
FILLING LOW	LIGHTNING	SUBSIDENCE
FRONT	NEGATIVE AREA	VAULT

84 George Clooney Roles

```
J M D A N N Y O C E A N F X N
E G I I D E V L I N L D C H L
R B E S R Y A N B I N G H A M
Z Y A O S E T A G E I H C R A
Y E J I R E K L A W K N A R F
D S S O R G U O D R D H I Y L
A S E G O D E H T Y K R A P S
S A N E I X W B M R R K Y F O
S M R M Y B A H U R L S R A H
A S A Y L D N E I R F D E R F
C E B E V E R E T T N O C R A
N L B S E T A G E E L E X E A
Y I O S E T H G E C K O T R D
L M B X A D R Y B M I J C T J
C K S E N Y A W E C U R B K R
```

ARCHIE GATES	EVERETT	LEE GATES
BAIRD WHITLOCK	FRANK WALKER	LYN CASSADY
BOB BARNES	FRED FRIENDLY	MILES MASSEY
BRUCE WAYNE	GEORGE BURNETT	MR. FOX
DANNY OCEAN	HARRY PFARRER	RYAN BINGHAM
DEVLIN	JERZY	SETH GECKO
DR. DOUG ROSS	JIM BYRD	SPARKY THE DOG

85 Transport

```
Q C C M S L S F Y X N T R U O
R H C A O C E G A T S K K E F
I A S E M P D E W O D I A F T
C R Q S W E E O M A A O E L Y
K I P R L H L D A A S P T O M
S O R O C K E T R R R E L J G
H T R H U P P E T R A I N E A
A R E T P O C I L E H N R E A
W D E G A I R R A C S N L P N
A O O E L C Y C I B H E A I A
R E O B O A T T R G P A S H C
S U B M A R I N E H M D I S B
D S G O N D O L A L I F T R I
S S B F O Q O N B M L T J I X
S L O R F H T B A A B Z L A O
```

AERIAL TRAMWAY	CARRIAGE	MOPED
AIRSHIP	CHARIOT	RICKSHAW
BICYCLE	ELEPHANT	ROCKET
BLIMP	GONDOLA LIFT	STAGECOACH
BOAT	HELICOPTER	SUBMARINE
BODA-BODA	HORSE	TRAIN
CAMEL	JEEP	WHEELCHAIR

86 Spanish Surnames

```
S R U A R A B O C S E Z P I S
O P M E I T D I T U R B I Q T
D R T P Q I T I S S H B B P V
I E O I L R Z N X M E D O Z K
P I V N S U U O U E V M R A F
X V C I A Z T L A D A R R E H
I U E E G W M I O G H G E A D
U O R L R R W B D F A N R T B
O U V L A A P A E L Q E O W Q
A S A A V Z L B L A R U R M U
B K N X R E Q E A O E I E Y E
H T T K N K G U V E N T U E Z
M T E O T O R R E S G S G Z A
W E S L S O S O G Z E F O T D
T G S O E C A P A B L A N C A
```

ALONSO	ESCOBAR	QUEZADA
ARMESTO	GALLEGOS	RENGEL
BABILONI	HERRADA	TIEMPO
BORRERO	ITURBI	TORRES
CAPABLANCA	MAGDALENO	VARGAS
CERVANTES	NOGUERO	VELAZQUEZ
DE LA VEGA	PINIELLA	ZURITA

87 Norse Mythology

```
Z F S M A P D S O A F Q T Y E
L R T N R A N O D I N I M A T
E E O I U L H R S R K I L N P
F Y S L N I N E W O R L D S O
U R X P I S K E L Z Z W N F S
W N S X C A A L L A H L A V F
D A S K A R T O R U T V L R T
N L G L L D H S R E T S E O F
E W B O P G D U U A B Y C R Q
F M R P H G V R M D J O I S E
E P R V A Y T D A A G E R T L
R S P Z B N A L R G N S O N R
M J T K E A U A A D S I H O O
S T I E T E Q B S E S A T E G
X U U R U N E S T O N E L Y P
```

ASGARD	FRIENDS	REBORN
ASK	HEL	RUNESTONE
BALDR	HUMANITY	RUNIC ALPHABET
EMBLA	ICELAND	THOR
FOES	LOKI	VALHALLA
FREYJA	NINE WORLDS	YGGDRASIL
FREYR	ODIN	YMIR

88 English Cities

```
K U X V K Q H O W D B Z U A T
L E F Q T R R I O X F O R D D
I H C I W R O N M C P L E R H
T R C A O R U Y L E L O T C V
I R R N R D E R B Y A L S A R
E O E O C X I J O L L O E M L
C A N T E R B U R Y O O C B X
P O R T S M O U T H T P I R I
Z X E I T E L E E D S R E I B
B R R N E S H E F F I E L D O
M Y J G R T M C Q N R V U G U
B A T H B R X T N Z B I S E Z
A K M A H R U D W A R L F K F
N T C M M A H G N I M R I B A
S L T R R A A U S B N E M Y V
```

BATH	ELY	NOTTINGHAM
BIRMINGHAM	EXETER	OXFORD
BRISTOL	LEEDS	PORTSMOUTH
CAMBRIDGE	LEICESTER	SHEFFIELD
CANTERBURY	LIVERPOOL	TRURO
DERBY	MANCHESTER	WORCESTER
DURHAM	NORWICH	YORK

89 Fruit Dishes

```
S T E I P Y R R E H C F K L E
S I Q S C J B E A M O R O T T
S U T S L U A L T G C U P M O
I R M E E U K E T M O I E Z P
E F N M M U E T T E N T A T M
K D I N E K D S M E U C C D O
E E T O N R A E A R T A H A C
Y L A T T D P P R Y J K M L Y
L K T E I C P U E O A E E A E
I C E O N L L S D L M W L S N
M I T P E G E U O D B B B T T
E P R C C O P A E E I M A I U
P E A X A P I S U W U N U U H
I K T A K R E L B B O C G R C
E E X R E T T U B T I U R F C
```

APPLE PIE	COMPOTE	KEY LIME PIE
BAKED APPLE	CRUMBLE	PEACH MELBA
CHERRY PIE	ES TELER	PICKLED FRUIT
CHUTNEY	ETON MESS	PINEAPPLE CAKE
CLEMENTINE CAKE	FRUIT BUTTER	PO'E
COBBLER	FRUIT SALAD	SUMMER PUDDING
COCONUT JAM	FRUITCAKE	TARTE TATIN

90 Coral Reef Fish

```
J H A W K F I S H Q X L K I I
X W K R A H S I F T A O G K G
A C O R A L T R O U T P N C O
D A M S E L F I S H A O A W B
U T R U T P B R H P O R T O Y
C O A R I R P T U T D C W E P
A A B G P C I A A I U U O C A
R D B E X E D G N I O P L L R
R F I O H W A A G S R I L O R
A I T N L M L R M E D N E W O
B S F F A F P X L A R E Y N T
T H I I I I N I U F A F R F F
S E S S A R W G C O I I I I I
Q R H H U S E A H O R S E S S
E U A N G L E R F I S H H H H
```

ANGLERFISH	GOBY	SEA HORSES
BARRACUDA	HAWKFISH	SHARK
CARDINALFISH	PARROTFISH	SURGEONFISH
CLOWNFISH	PEARLFISH	TOADFISH
CORAL TROUT	PORCUPINEFISH	TRIGGERFISH
DAMSELFISH	RABBITFISH	WRASSES
GOATFISH	RED SNAPPER	YELLOW TANG

91 Writing Scripts

```
I Z O Q R R L A S E T A X Y B
F E T C Y O U O H A Q L U R Z
S A H G I A L D M H A K Z R U
O A A E L L G I A G A S P S K
X S I N H A L A F N R S E P K
G U R M U K H I N I A E P I E
P N N I T A L A R D B K E G T
J D J T R E D F T Y I U T K H
M A L A Y A L A M K C A T M A
D N V R F J S U R R W X O Q E
N E R A Z H A N G U L R A T V
Y S U J N X G L E U E Q U R Z
S E E U H E B R E W U T G R R
T B O G F L S X A R L T V B D
O C H I N E S E M R U B J E R
```

ARABIC	HANGUL	MALAYALAM
BURMESE	HEBREW	ODIA
CHINESE	JAVANESE	SINHALA
CYRILLIC	KANA	SUNDANESE
GREEK	KANNADA	TAMIL
GUJARATI	LAO	TELUGU
GURMUKHI	LATIN	THAI

92 Office Equipment

```
V L O C K E R E N O T L I G P
B T F I L I N G C A B I N E T
Q S F T R E H O L E P U N C H
M R I N G B I N D E R C L I P
A P C O T X A F O L I F S I H
N D E S K P A D B L I S R E O
I N C A D D R E S S B O O K T
L L H O E N O H P E L E T R O
A T A R O T A L U C L A C R C
F A I I D R A O B E T I H W O
O E R R P A P E R C L I P C P
L B A E G D I R T R A C K N I
D E N O H P A T C I D U I E E
E E L A C S R E T T E L S I R
R E V O M E R E L P A T S P I
```

ADDRESS BOOK

BINDER CLIP

CALCULATOR

DESK PAD

DICTAPHONE

FILING CABINET

FILOFAX

HOLE PUNCH

INK CARTRIDGE

LETTER SCALE

LOCKER

MANILA FOLDER

OFFICE CHAIR

PAPER CLIP

PENCIL SHARPENER

PHOTOCOPIER

RING BINDER

STAPLE REMOVER

TELEPHONE

TONER

WHITEBOARD

93 Fleetwood Mac

```
P J Y T U M G E W K I U P J B
V K S A M E H T D N I H E B Y
R E F A W A L K O F F A M E Q
N B I L O N D O N N I F G R Y
O S E V E N W O N D E R S B I
I E F S C E C O T S A T U S K
T I L H T M T A R M K N T A J
A L A N N S O W M U A C A A S
R E N S O M E Y O P O A I D X
U L D E N I A L O O B Y H N X
G T S G N W N C L A D E O N U
U T L A A S I U M I L S L G S
A I I R I E H O E S N S W L O
N L D I H S M A E R D G Z I K
I R E M R A A J M I X T N T A
```

BEHIND THE MASK	GRAMMY AWARD	MIRAGE
BEST-SELLING	HIATUS	NICKS
CAMPBELL	INAUGURATION	REUNION
DREAMS	LANDSLIDE	RHIANNON
FINN	LITTLE LIES	SEVEN WONDERS
FLEETWOOD	LONDON	TUSK
GO YOUR OWN WAY	MCVIE	WALK OF FAME

94 Computer Words

```
N M O N I T O R J I A A B L S
E E R P Q E E H E D H P L X C
E D M V Z I V E A K P E F A A
R O T O I P R O G R A M S K Y
C M Y E T D R A O B Y E K R E
S T M U U H E Q F N K F P S U
T P E I P S E O Q M S L A S E
O V D S C O A R C E I A S H K
R W I V P R T P B A P S T D U
A E A G P I O P A O R H B G B
G B T O U C H P A D A D K E P
E C S N Q K P C H L P R Y Y R
H A R G I R E S U O M I D U X
W M E M O R Y V P L N V C S D
H A Z S Y L P P U S R E W O P
```

CASE   MICROPHONE   PROGRAM

CHIPSET   MODEM   SCREEN

FLASH DRIVE   MONITOR   SPEAKER

KEYBOARD   MOTHERBOARD   STORAGE

LAPTOP   MOUSE   TOUCHPAD

MEDIA   POWER SUPPLY   VIDEO CARD

MEMORY   PRINTER   WEBCAM

95 Pets and Domesticated Animals

```
W N O L L A M A S I E I W X I
S I O E W H S T J H S A A Q S
X A K G O D T H G L F T X P S
D H S I F D L O G K N G M R S
D O B R A B B I T D N L V I C
T R I Y E K R U T L S I G A Z
Q S T P N Z A G R S E O M U A
R E P R I P Q Y B L A E P S W
T Z O D U G C A T T L E C T I
R A T Y G O H E G D E H A E T
G G E E H K I E Z H X V E J S
T C R K R H C T S A T T O A A
P B A N E R K U H H A R E D T
T W J O O N E T D E S Y F A D
H D E D P U N F E H T I A N Q
```

CAMEL	FERRET	MINK
CATTLE	GOAT	PIG
CHICKEN	GOLDFISH	RABBIT
DOG	GUINEAFOWL	RAT
DONKEY	HEDGEHOG	SHEEP
DOVE	HORSE	TURKEY
DUCK	LLAMA	YAK

96 Brewing Beer

```
C A S K Q N R A B M A L T O C
L W Y S L E W X S Y K G Q T R
S E E L L O N A H T E R T G A
V R L O O T U O T S F A E Z S
T B R Y T I U R F A O K S T P
R I A L T A O B Z W C I H T O
I E B A Q U D L I M A T E R H
N A M E N O I T A N O B R A C
I J U R V H S E A L E E R X R
A N A E Z N L W O E F N E G Z
R U I C S T O T M I G Y P T R
G P L U T R S G A E O A P T E
J P G O T T L O B E Z I O D W
S A B R I Z M N B E H U C A A
R N K N I R D R A Y A W Y R H
```

ALE

BARLEY

BOTTLE

BREW

CARBONATION

CASK

CEREAL

COPPER

DRINK

ETHANOL

FRUITY

GRAIN

HOPS

KEG

MALT

MILD

STOUT

SUGAR

WHEAT

WORT

YEAST

97 Birthday Party

```
R F G W S H D T C I F B U A P
L M P C V J Y F I O A N B H A
M R A E Y T H T N O M R S C B
L R S G L G T M U S I C I A N
D I U R I Y T X I R L A L N O
A J D A E C S K U S Y L S D I
I X L D Q M I V C B O U C L T
I U E N P R A A W O R E P E I
A Q S E I W H E N P L A A S D
L H Z L Y R A S R E V I N N A
G T Y A T T K I B T G Z K W R
P F Z C S O S R S S S S I O T
R I R W P E A F O P U S T L A
I G U E S T I S A S H Z T C V
S C A K E G A R T H Z R A H G
```

AGE	CELEBRATE	MUSICIAN
ANNIVERSARY	CLOWN	STREAMERS
BALLOONS	FAMILY	SURPRISE
CAKE	GIFT	TOAST
CALENDAR	GUEST	TRADITION
CANDLES	MAGICIAN	WISH
CARD	MONTH	YEAR

98 Photography Genres

```
K X E T Q A L U C D T K L T W
K R L A U T P E C N O C I E Q
E S P A L E M I T H S O D E K
S T I L L L I F E B C D F R B
L M R Z U O S T R A I G H T L
O B S O C I A L I N M A L S S
W D B Y K V T A G A A S N U C
M I N I M A L I S T R T F T T
R E T A W R E D N U O T O O J
U R E V I T A R R A N N R C R
I O A Y R L J U S K A T E O M
N A N A I U X O E Y P D N Q P
S A V T W X A T M U Y U S U S
S E C R E T X W A T H G I N F
L X U E I Q R X V A N W C H I
```

CONCEPTUAL	PORTRAIT	STRAIGHT
FOOD	RUINS	STREET
FORENSIC	SECRET	TIME-LAPSE
MINIMALIST	SKATE	TRAVEL
NARRATIVE	SLOW	ULTRAVIOLET
NIGHT	SOCIAL	UNDERWATER
PANORAMIC	STILL LIFE	WEDDING

99 Countries Bigger than France

```
M D K C V Z T L E U R E P W A
C T H T T N L S Y L L J N T K
P A M A F G H A N I S T A N R
D N P A I P O I H T E N T A A
A G Z R L N A C M X S O S M Q
B O L I V I A L E F Y G I I T
I L Q D V R E T X L E O K B D
T A S T E T J A I P K R A I U
Y V R P N W A R C R R T P A R
E G S Y E N A N O S U D A N T
E R Z G Z N E M Z N T A A P U
R M L E U Q I B M A Z O M I L
I A I R E G I N O F N C L H B
F I C U L M D D E B U I A W J
Z U I U A I B M O L O C A U T
```

AFGHANISTAN	ETHIOPIA	NIGERIA
ANGOLA	IRAN	PAKISTAN
BOLIVIA	MALI	PERU
CHAD	MAURiTANIA	SUDAN
CHILE	MEXICO	TANZANIA
COLOMBIA	MOZAMBIQUE	TURKEY
EGYPT	NAMIBIA	VENEZUELA

100 Stratovolcanoes

```
K K C A Y A M B E L B S L M N
T A J X P M O U N T F U J I A
W D E O P P U S L L A I M A N
X E K P X E N P Y D O V V D T
E B O G R I T T W F S U A I E
E L L I H E B A T T D S G D T
D A O Z A M I J O K K E E I N
O C M I H Z R C P J R V K A U
R K B V D J D H A I N T A B O
C B A R R E N I S L A N D U M
E U N E L V A L L E G U I L A
R T G E U H A P O C U O H I Z
K T A E W N A M Z A B M A C A
E E R B D V E P R G Y P S Q U
U T A H U A L C O T O P A X I
```

ADWA	COPAHUE	LLAIMA
ASAHI-DAKE	COTOPAXI	MOUNT BIRD
ASKJA	DIDI ABULI	MOUNT ETNA
BARREN ISLAND	EL VALLE	MOUNT FUJI
BAZMAN	GLACIER PEAK	MOUNT VESUVIUS
BLACK BUTTE	KOJIMA	TAHUAL
CAYAMBE	KOLOMBANGARA	TIGER ISLAND

101 Johnny Cash Albums

```
B H S A C R N H O J J G X R P
I T S E T A E R G A N Z R A I
G O N E G I R L R A C M A I L
R X A N N O R A B E H T I N N
I G E T R H Y T H M S W E B A
V B O O M C H I C K A B O O M
E M I T W O H S F L R R U W L
R E V L I S T S K O Y M E C L
O H S A C F O T R A E H S H A
C B U T H E H O L Y L A N D T
N B E L I E V E I N H I M A M
E H P L L E H S A N A E M R O
I D R I D E T H I S T R A I N
M A N I N B L A C K A P E A J
E E K A C Y R R E B W A R T S
```

BELIEVE IN HIM	HEART OF CASH	SHOWTIME
BIG RIVER	I WALK THE LINE	SILVER
BOOM CHICKA BOOM	JOHN R. CASH	STRAWBERRY CAKE
ENCORE	MAN IN BLACK	TALL MAN
GET RHYTHM	MEAN AS HELL	THE BARON
GONE GIRL	RAINBOW	THE HOLY LAND
GREATEST!	RIDE THIS TRAIN	THE RAMBLER

102 Eurovision Song Contest Winning Songs

```
E A O X P A O N L B X I S I I
V V I W A N N A I O T S E O P
E S E R E D A S N O Y M O O A
I M C R O D W I Y L E B R N E
L Y I W Y H A A O R L S E L H
E N O I S B P C U E A E H Y F
B U V L A L O U R T T M A T Y
J M E D A V I D E A Y K J E I
R B H D M P R L Y W R C U A K
A E T A A P L Y E M I O L R J
U R U N N I N G S C A R E D R
R O X C T T A T B L F R L R I
T N S E N R U T C O N O L O J
R E B S Q V M O L I T V A P D
C U S B C E V V E K U G H S P
```

ARCADE	HEROES	ROCK ME
BELIEVE	I WANNA	RUNNING SCARED
DIVA	IN YOUR EYES	SATELLITE
EUPHORIA	MOLITVA	THE VOICE
EVERYBODY	MY NUMBER ONE	TOY
FAIRYTALE	NOCTURNE	WATERLOO
HALLELUJAH	ONLY TEARDROPS	WILD DANCES

103 Garden Plants

```
T W Y A R R O W O O D R U F F
T A K I N G P A L M D L E E Y
X T Y D C A M B A R B E R R Y
D T A Y E Y C K J A L N J P R
R Y T S L S P A O O W R S B S
S U S U N I E R L O R E Q Z T
N B H M K A L R E A B P R E A
O A O M C D I R T S M M O A R
W N W E O N D R E W S I A I A
D E E R H A L J E G I P N B P
R B R S Y C E E L L N L I T P
O E T W L I Z X L T A I L N L
P R R E L R A L A A O V G O E
T R E E O F H E A V E N Y N W
E Y E T H A Z E V O L G X O F
```

AFRICAN DAISY	FOXGLOVE	SNOWDROP
BAMBOO	GINGER LILY	STAR APPLE
BANEBERRY	HAZEL	SUMMERSWEET
BARBERRY	HOLLYHOCK	TREE OF HEAVEN
CALAMINT	KING PALM	VALERIAN
CYPRESS PINE	PIMPERNEL	WOODRUFF
DESERT WILLOW	SHOWER TREE	YARROW

104 Hamilton

```
T A H L Z C P R Q S T L N O Z
A R C T T P K L A S O A T Y Y
H E R L P G B T T K H U T X O
I I U A S I I R T D S R A L N
X T H V P S D L O N Y E R R O
N O C S F T E D P A M N A G T
O M R I O M I L O S D S A I G
S U E R R U B R P A L W S G N
R D L A N L L L O L Z O A D I
E H Y D E L T C N F E A S Y H
F O U N D I N G F A T H E R S
F C H A V G Q P O H P I H L A
E M C R Y A R N O S I D A M W
J S S I A N C A K R S R M W A
P P H M U S I C A L T L I L E
```

BROADWAY	LAURENS	RAP
BURR	MADISON	REYNOLDS
DU MOTIER	MIRANDA	SATISFIED
FOUNDING FATHERS	MULLIGAN	SCHUYLER CHURCH
HELPLESS	MUSICAL	SOUL
HIP-HOP	MY SHOT	WAIT FOR IT
JEFFERSON	POP	WASHINGTON

105 The Human Brain

```
G N I N O S A E R O T I M H S
I R B E B O L L A R O P M E T
X E T R O C O L L A G H S M N
E L A V S T C A I J I L E I E
T C M O N O E I C L U S B S T
R I Y U O R R T I P L M O P W
O R R S R I E A M D O P L H O
C T O S U B B I T T B T L E R
O N S Y E H E V O H Z Z A R K
E E N S N V L R P S G M T E H
N V E T R H L A E S C U N S R
I S S E N S U O I C S N O C S
H T N M U R M M A T T E R H L
I M E T S N I A R B A A F X T
E B O L L A T E I R A P G F Y
```

ALLOCORTEX	MATTER	PARIETAL LOBE
BRAINSTEM	MOTOR	REASONING
CEREBELLUM	NEOCORTEX	SENSORY
CEREBRUM	NERVE IMPULSES	SULCI
CONSCIOUSNESS	NERVOUS SYSTEM	TEMPORAL LOBE
FRONTAL LOBE	NETWORK	THOUGHT
HEMISPHERES	NEURONS	VENTRICLE

106 Gulliver's Travels

```
J A D E N O O R A M T F I W S
T I B T Q F I T C I I D S Y K
I Y L U I T U I A S A M Z C T
S L E P U P S D Z O E J E P C
W E F I A S I L N R B R Q F V
N H U L A V U E C R W O E O C
E C S L A R P H O P X Y Y U A
D R C I B R A B I N L A B A M
Q X U L R N D H O S G L S R A
O I D T T I S S R E G C S L I
F Z I M N T A Y A H O O S T U
H X A G C E A T O L E U M E L
O N N P R X V S T P R R T W Y
G A S T O O T D G G R T S T F
G H O H R P I R A T E S D M V
```

ADVENTURE

BALNIBARBI

BLEFUSCUDIANS

BOAT

BROBDINGNAG

CLASSIC

GHOST

IRISH

LAPUTA

LEMUEL

LILLIPUT

MAROONED

MERCHANTMAN

PIRATES

QUEEN

ROYAL COURT

SHIPWRECK

SWIFT

TREASON

VOYAGE

YAHOOS

107 Shades of Green

```
H Z L C S A S J P J Y L L E K
O Q O T N S L B G U Q W K F R
L V A R W T I P Z N H O C R F
U Y R E X N H T S O H N A U L
X R U O A I Z G N C T E Y S U
A F O O G M T E I A G O M S G
T M O K A W Y T U L M N V I L
A E S R R D R N Q A R L X A L
D P A L E A T C E L A D O N P
D E P W Y S D E L G N U J A G
N U P H U N T E R I O T S Y P
K V C P E R S I A N C P S R U
R U G N R E X R H D R A S A X
R D B E I F C Y K I S A E R R
Z T G T N S T L O A A E F Q S
```

ARTICHOKE	HONEYDEW	MANTIS
CELADON	HUNTER	MINT
DARK	INDIA	NEON
ERIN	JUNGLE	PALE
FERN	KELLY	PERSIAN
FOREST	LIGHT	RUSSIAN
HARLEQUIN	LIME	TEA

108 Juices

```
S C C N C C O B P F T T L A I
V G U E J F R N A T M A U E W
L Y C H E E A S P I N A C H G
E L U O P I N E A P P L E W R
M C M E I L G B Y T S A M K E
O E B N T I E T A T T M A I Y
N O E U U A P L R G O F N W X
T Y R R E B N A R C F G G I Q
S T N P W Q W A R I N R O F U
Q F C P R B S U R S O A U R P
Q B H B E S O L T G L P A U Y
K O E R P N I V K M E E E I R
U T R T O M A T O Y M M Y T M
C Y R R E B N O G N I L O A O
S P Y U W T C N O B L U O P O
```

CHERRY

CRANBERRY

CUCUMBER

GRAPE

KAFFIR LIME

KIWIFRUIT

LEMON

LINGONBERRY

LYCHEE

MANGO

MELON

ORANGE

PAPAYA

PARSLEY

PINEAPPLE

POMEGRANATE

PRUNE

SPINACH

STRAWBERRY

TOMATO

WHEATGRASS

109 Cosmetology

```
R M H T L A E H Q S A L O N H
M A G A A O H A I R D Y E U F
A X I E P O A G N I X A W H R
S E U R L P R D T I Z D Y L
S M E E H M L P P P D N V S I
A A R R A A B I J R U X C O C
G N A U I H E H C O I A Q O P
E I C C R S L P S A L N S C G
S C N I S K K A I P T M X T N
L U I D T R R B Y D E I D H I
I R K E Y T Z U Z T E O O A L
A E S P L V I M I E U R I N I
N A E U I X V C C T K M M D O
O A K U N A S U P A P S E I F
P N A S G F S T Y L I S T R S
```

APPLICATION	HAND	SCALP
COSMETICS	HEALTH	SHAMPOO
EPIDERMIS	MANICURE	SKIN CARE
EXAM	MASSAGE	SPA
FOILING	NAILS	STYLIST
HAIR DYE	PEDICURE	ULTRASOUND
HAIRSTYLING	SALON	WAXING

110 Peaky Blinders Characters

```
T O C Q P G C R S T O M M Y S
Y R M D U N H O J E X C A I N
E A S L A O P L A N U T Y S O
X A R O P R U H T R A R C R M
J B E G O T B U L O Q A A N O
E E V E L S S Y U H F E R B L
S R I I L E O A S T U I L W O
S A L N Y I A G R A Z Z E P S
I M O N G L D H R D B Z T R E
E A N O R R N R C A I I O Q I
E G E B A A I S B I C L N L F
D O B H Y H L P E S M E U I L
E L U C A C H A N G R E T T A
N D R E B M I K Y L L I B Z T
V K A R I Z T R G H S B N S G
```

ABERAMA GOLD	CURLY	LIZZIE
ADA THORNE	DARBY SABINI	LUCA CHANGRETTA
ALFIE SOLOMONS	ESME	MAY CARLETON
ARTHUR	GRACE	MICHAEL GRAY
BILLY KIMBER	JESSIE EDEN	POLLY GRAY
BONNIE GOLD	JOHN	RUBEN OLIVER
CHARLIE STRONG	LINDA	TOMMY

111 Best Supporting Actor Oscar Winners

```
C Q N G N S Q U A Z Q Z L R N
F T D A R T A W A W T E F I E
P O T E M A S A W D D L K Z Z
I V E G L E T O E G N R A L D
B M C W N T E J E A A A M W X
R S N I B B O R E M M U L P R
T B A L E V S R F O K R A X U
Z C L L E W K C O R C Y S D Y
P J Y I I I L B Z M A E O O E
D I R A R V N A S E H N M C R
S I M M O N S R R U E O O V N
E Q T S E Y P D B T R O A X A
F U W P A I L E R T P L F P T
A J E W T S S M A E Z C X U Q
S Y S T A I F N R I H B S S I
```

ALI	DEL TORO	PLUMMER
ARKIN	FREEMAN	ROBBINS
BALE	HACKMAN	ROCKWELL
BARDEM	LANDAU	RYLANCE
CAINE	LEDGER	SIMMONS
CLOONEY	LETO	WALTZ
COOPER	PITT	WILLIAMS

112 Best Supporting Actress Oscar Winners

```
O C D U C L S S L A E A O I A
S I V A D P S D O D L I U R D
T L E E R E O B A S I N G E R
T G N I K Z G Z M P P P P G E
E C L R A J O L I E E S J E W
H Z V L Y R S W I N T O N W P
C G N P H L U D Y C P L N L O
N C P R L A L A W E I S Z L A
A R Q U E T T E U R N B Y E U
L U N O S D U H N A I N X Z T
B Z B K Z Q N Y A N L P A S T
O T L B R G O A O W O Y R J N
T L L M P N T C K T A C T S R
G Z E P G S H A E I S Y U A H
M I E O C E S R R X V Z U A A
```

ARQUETTE	DENCH	LEO
BASINGER	DERN	NYONG'O
BINOCHE	HATHAWAY	SPENCER
BLANCHETT	HUDSON	SWINTON
CONNELLY	JANNEY	VIKANDER
CRUZ	JOLIE	WEISZ
DAVIS	KING	ZELLWEGER

113 Ancient Cultures

```
R S K M L Y O R H J A A B U P
U G F J G E S T B B S B O M L
D O N A I R A D A B D G I U A
M A G A M R A T I A N U A L P
S S D V I L L A N O V A N R I
M R L A N C I E N T E G Y P T
D X E R W N A E Z R E G H U A
D H I C W E H N I N R H O I M
R Z F H O R N H G S A S N O E
K P N A S L A K G I Q I G T L
K O R I D I E T O I R O S Z U
U T U C B T D M J U L U H A H
T B A N P O N I S L I E A S T
Q J Y K P U A I O Y A Y N G M
N A T U F I A N M M Q N Q X V
```

AMRATIAN	BOIAN	NATUFIAN
ANCIENT EGYPT	DAWENKOU	QIJIA
ANDEAN	ERLITOU	TASIAN
ARCHAIC	GERZEAN	THULE
AURIGNACIAN	HONGSHAN	URNFIELD
BADARIAN	LAPITA	VILLANOVAN
BANPO	MOGOLLON	YAYOI

114 Historical Currencies

```
T W F A O H O R X M S Z P R P
M O L D U P O N D I U S O T R
Z D O D U C S E S Z J D T L A
G A R E T A T S P D A R I C U
A V I Q U Y I N G Y U A N Q R
T F N R J M I S N R T C D P R
S H E K E L U O I S S H A A A
A U U R F I M A L L M M A M U
S S T U R R L P L G L A M Z U
R O P D R A M P I J I O Y J X
E N P P R U T A H L E S F J A
O U S R W L E U S Y C E E C B
D V E L A X V P W T C V S U T
D I W P S S D O N I X L I J C
I L R I F V K T X U U O I D Y
```

AUREUS

DARIC

DRACHMA

DRAM

DUPONDIUS

ESCUDO

FLORIN

FOLLIS

LIRA

POTIN

PRUTAH

RIAL

SHEKEL

SHILLING

SIGLOI

STATER

SYCEE

TREMISSIS

YING YUAN

ZAIRE

ZUZ

115 Indian Curries

```
R R H I A I L T A J E T H N A
G E K P L P T U J Y I A X R T
A D H A N S A K Y R P R R L R
M A D R A S C U R R Y K J G C
R V F D E P B K R U R A L P T
O I A S A A U O U C I R D W H
K D L Q P L G S C T A I J Z S
S B O E T A M D N A L L A X O
R M O P N K D A E O U U L A G
D O G J I P J L K G T P F C O
S K O E N A Z C C H N I R U E
I S B Q R N Z H I Q A J E T W
H R I X E E M A H Y S N Z I K
L O H J R E H H C A M I I U C
Z E P X I R A K U T T O O K K
```

AJETHNA	GOAT CURRY	MACHHER JHOL
ALOO GOBI	GOSHT	MADRAS CURRY
CHICKEN CURRY	INJIPULI	PALAK PANEER
DAL MAKHANI	JALFREZI	ROGAN JOSH
DALCHA	KOMBDI VADE	SANTULA
DHANSAK	KOOTTUKARI	TARKARI
DOPIAZA	KORMA	XACUTI

116 Billie Eilish

```
E F O K B U R Y A F R I E N D
K G R A M M Y A W A R D S U V
A B M A P O P M R S U C A A S
T J E A E S O N G W R I T E R
N H A S B Y M L L E N N O C O
O W E M T A E L I M S T N O D
T E O R E N E H S Y T F O T M
I R N A E S E H T A L C T S U
M U A A N F B W C F E E A E S
E T R Y C T O O A A O N V P I
T U P U B I P R N R Y G N O C
O F O G O Y R E E D T L N I L
D Y S D C W Y E Y I U I L O F
I M O A I E O A M F A B S E S
E O T B S G A J S A C M Y T B
```

AMERICAN	FINNEAS	O'CONNELL
BAD GUY	GRAMMY AWARDS	OCEAN EYES
BELLYACHE	JAMES BOND	POP
BEST NEW ARTIST	LOVELY	SONG OF THE YEAR
BURY A FRIEND	MUSIC	SONGWRITER
COPYCAT	MY FUTURE	SOPRANO
DON'T SMILE AT ME	NO TIME TO DIE	THEREFORE I AM

117 Dutch Painters

```
C N E V F A V E R C A M P K L
A S A M U D U J A R D I N B C
G T E R B R U G G H E N I A D
V A N G O G H T M T H S F U T
E H T R T N R C E T S Y T B T
L B A S T I N R S C R V Q O D
I M J V U S S E H Y A T E L N
J A Y E E Z A O R N U I Q L A
H C S O B R P R L K A R R O R
K C R E K S M E E H N A V N B
O G G S W O Y A P D D I I G M
N A E I W D B G N A N P P I E
I V F S E V A N O U W A T E R
N T L N W R A A V N E E V R A
G R A F F E D Z U K I D A T Q
```

AVERCAMP	GRAFF	TER BRUGGHEN
BASTIN	HAVERMAN	VAN DER AST
BISSCHOP-SWIFT	KONING	VAN GOGH
BOLLONGIER	PIETERSZ BEGA	VAN HEEMSKERCK
BOSCH	REMBRANDT	VAN LEYDEN
DUJARDIN	RONNER-KNIP	VAN OUWATER
DUMAS	RUYSCH	VEEN

118 International Golden Era Films

```
M B R I E F E N C O U N T E R
G E L T H N O S F E R A T U Z
S S T A H A I N O M O H S A R
P T E R C E M P Q A E N U E S
I V R S O K R L R P G A E N T
X A O O T P N E E F E S H I X
K M D R M U O A D T N I P H G
V P E I E B R L R S G A R S O
H Y G O S L O A I C H P O E D
G R A N D I L L U S I O N O Y
A I I I Z D O G I W S S E H A
C R L F Q M P Y N C K V S S R
U O L A D N A N E I H C N U T
O O E D A Y O F W R A T H Z S
L V L A T E S P R I N G N X I
```

BLACK NARCISSUS	L'AGE D'OR	SHOESHINE
BRIEF ENCOUNTER	LATE SPRING	STRAY DOG
DAY OF WRATH	METROPOLIS	STROMBOLI
GENGHIS KHAN	NOSFERATU	THE PEARL
GODZILLA	ORPHEUS	THE RED SHOES
GRAND ILLUSION	PAISAN	UN CHIEN ANDALOU
HAMLET	RASHOMON	VAMPYR

```
L  I  A  S  A  Y  U  L  A  W  I  N  M  Y  Y
Z  B  K  O  C  L  I  N  O  T  O  T  A  B  O
R  A  A  O  C  L  I  M  I  H  C  O  X  E  A
R  P  L  C  B  L  B  O  P  A  L  M  I  T  O
E  L  S  C  A  P  A  L  T  I  U  C  E  T  A
A  I  O  U  H  L  N  U  D  E  R  X  X  C  O
E  M  C  I  S  I  A  E  H  T  C  U  I  A  C
E  A  R  T  A  Z  C  R  V  A  U  D  O  L  N
C  U  A  Z  C  T  N  H  C  H  Y  T  B  U  I
I  G  M  E  U  X  A  O  I  W  U  E  O  H  C
P  A  N  O  J  M  H  L  S  C  S  P  P  C  L
U  U  A  S  O  I  C  E  R  P  A  L  J  E  O
S  E  S  R  J  T  I  O  A  U  T  C  O  U  T
F  O  O  L  L  I  H  C  U  C  R  U  H  Q  O
P  I  Z  Z  A  O  C  A  M  E  T  A  C  O  T
```

AGUA MILPA	CATEMACO	QUECHULAC
ALCHICHICA	CHICHANCANAB	SAN MARCOS
ALJOJUCA	CUCHILLO	SAYULA
ATEXCAC	CUITZEO	TECUITLAPA
ATOTONILCO	LA PRECIOSA	TEPEYAHUALCO
BACALAR	PALMITO	TOTOLCINCO
CACHO	PIZZA	XOCHIMILCO

120 Women in Space

```
T F T L C U O O V N C K D X T
S V O O T R S E D D O N T D T
A M H S A E F R R C B E O U R
M G O H L S Y V H O B T Y G T
K N J P K N T C H A W L A O I
I B A R L I I N A V I L L U S
K R A V O K A D N O K E N A X
I G A I O T E W A R A W X Z S
N J T S R K W V Q E X D U T U
A J H C N B H R R S I L K D F
T H Z A Y A K S T I V A S I L
G D C L A R K R E W A C S C N
R H T D E R N A M R A H S U W
T R G K I O R R I D E H S L T
U B I E G N M E I R R T V R A
```

ANSARI	KIKINA	SAVITSKAYA
BARRON	KOCH	SEDDON
CALDWELL	KONDAKOVA	SEROVA
CHAWLA	LUCID	SHARMAN
CLARK	MEIR	SO-YEON
COBB	RESNIK	SULLIVAN
FISHER	RIDE	TERESHKOVA

121 Architectural Elements

```
P R V T F M O D T Q S T Z I P
E M F P H C U C E T S A A B G
X S R E U S E I P A I S L E G
I R S L U A M A R G E N T L D
S P U U V D R S G T Q R C V J
T S E E S A T O Y B A O P J T
R D S H P T L M D E R I P S E
J V I E L M I S I B O R I J G
J A T G R I L L E V Y M Q T L
J R Q V A T A L E F N R J U W
I A K H C O T R O F O T X L Q
P P O R C H H U D K C K R A K
P A T I O A L A B N L L B O E
A L Y E N M I H C I A H R J T
G A D G B P L I T E B H V A V
```

AISLE	EAVES	OCULUS
ATRIUM	FORTOCHKA	OVERHANG
BALCONY	GRILLE	PARAPET
BUTTRESS	HANDRAIL	PATIO
CHIMNEY	LOGGIA	PORCH
CORBEL	MARGENT	SPIRE
DVARAPALA	MOSAIC	STILE

122 Human Anatomy

```
E L S U H C N O R B O U L T N
S M A L L I N T E S T I N E G
K I E R T Y I F X F R B E E U
N U R L G R H N O D N E T T S
K V C S H E G C R A E U A H B
B O N E N T I L A E T S Y R O
O S A L A R Y N X M V S A O E
S R P S T A U D T J O I N T U
T Y M U L I G A M E N T L Q U
Y N I U K I D N E Y S V S I V
H O N T U E E U G N O T G U J
R G A T R O L K N I E V I R U
S P Y E S X E O S Z N R O N S
P E R E A J V E T X I I V O E
Y N S I R O R D W Z K X B E D
```

ARTERY	LARGE INTESTINE	SMALL INTESTINE
BONE	LARYNX	STOMACH
BRAIN	LIGAMENT	TEETH
BRONCHUS	LIVER	TENDON
HEART	LUNGS	TISSUE
JOINT	NERVE	TONGUE
KIDNEYS	PANCREAS	VEIN

123 Sea Monsters

```
T A W D O U R M O Z T I A T O
Z T L I A E A L F Y V K I E U
F I T U X K E I V O C A L K A
Y A X R A R L C T T M W R S L
C H A R Y B D I S A Q A G U S
T W A U K F M K T E K N I P A
U I T C O I S U J E U U L E R
M N L A N C T T N T L K S R E
P A N G Y A C U M A M A U S I
R T I L A S I R E N S B E T S
R L L C I R H S U T E C T I S
A A A S P I D O C H E L O N E
N U D X D D T Y V U I N R G N
Q D U A U F P Y H M T X P E N
A A J L U S C A P R I C O R N
```

ASPIDOCHELONE	IKU-TURSO	SCYLLA
BAKUNAWA	KRAKEN	SIRENS
CAPRICORN	LACOVIE	SUPER STINGER
CETUS	LUSCA	TANIWHA
CHARYBDIS	MAKARA	TIAMAT
CURRUID	NESSIE	TIMINGILA
HYDRA	PROTEUS	YACUMAMA

124 'Z' Words

```
N Y O F T R Y G I X A D U X X
S Z Z E P H Y R N K A Z I F Z
N Z E A L O U S B E R O X U T
P I N U K S A A Z I B N I Y P
Z S L O G Y N T E B E E O G E
C A E E R M E E I M Z A E O W
R R M P P E A Z T O L L U L A
K T M B Z P H A G Z H L A O P
Z V E E I N E T E T A G Y O T
P N S I F A L Z I K T Z N Z A
I T Y R Z O B N S Z O S A I W
R B Z I N C E L T D P A Z P Z
G A Z G I Z R W I Z I P P E R
A N M P C U A A N M I H W A T
M B O R E Z C A O C M S D R L
```

ZAMBIA	ZEPPELIN	ZING
ZANY	ZERO	ZIPPER
ZEALOUS	ZEST	ZITHER
ZEBRA	ZETA	ZODIAC
ZEITGEIST	ZEUGMA	ZOMBIE
ZENITH	ZIGZAG	ZONE
ZEPHYR	ZINC	ZOOLOGY

125 Television Shows

```
D A B G N I K A E R B M A E U
U A D O G R A F O I A I M T L
I W Z V R E T X E D X F J H P
S E I L E L T T I L G I B E L
O S I S Y N Y H L T W T P G A
N T E U S E T R E H T U L O R
A W V C A M E U E W S Y A O U
R O E C N D G K R L I Y N D T
P R G E A A N W R E Y R G P A
O L N S T M I A U A T U E L N
S D I S O U R A L B Z I L A R
E Y L I M A F N R E D O M C E
H M L O Y T I N U M M O C E P
T I I N Z T S T T Y S O Q T U
E W K M Y A K K B F F U H I S
```

ADVENTURE TIME	FRINGE	OZARK
ANGEL	GREY'S ANATOMY	SUCCESSION
BIG LITTLE LIES	HOMELAND	SUPERNATURAL
BREAKING BAD	KILLING EVE	THE GOOD PLACE
COMMUNITY	LUTHER	THE SOPRANOS
DEXTER	MAD MEN	THE WIRE
FARGO	MODERN FAMILY	WESTWORLD

126 Cheerleading Stunts

```
O S A C G T Q M A I N B A S E
S R T O P S T N O R F S S X G
E H Y T R E B I L R P H T R N
K C O T K C I T Z I O E I C O
R B B U I O M R K U N E S M P
O A S O L N T E L S O L Y G S
Z C S C W D B D I R H S D W U
E K C U O A E O A T A T D C W
L S A E S R N R O O N R E A D
D P L K S Y P D S L D E T E B
E O E T L B S I A I S T A I I
E T A R F A N C O R T C U P X
N N X O P S C S V N R H W U J
D E U Q S E B A R A A O A C P
A A M J V O Q J A J E O W O I
```

ARABESQUE	LIBERTY	SCORPION
BACK SPOT	MAIN BASE	SECONDARY BASE
BOW AND ARROW	NEEDLE	SHOULDER SIT
CUPIE	NO-HANDS	SHOULDER STAND
EXTENSION	PIKE BASKET	SPONGE
FRONT SPOT	PREP	TEDDY SIT
HEEL STRETCH	SCALE	TICK-TOCK

127 Weight Training

```
S H Z S F S T R Y T I V A R G
F E T K O R O R E S K O U P N
E N D U R A N C E E V K O S I
P Z I O M E E M T A A R S R D
W E I G H T S T A C K X E R L
Q O G S K E L I R O U P L I I
S B A R B E L L S N E S C D U
O E O Y B T P P C T T A S U B
N X H E S E T S I R A Q U M Y
R A L L T M G T E A T N M B D
S L P L U P I N A C E O C B O
U W I U I O G I M T G M I E B
R E R P N T D K L I R P A L S
A G P C H I N U P O A R N L A
S C J M O V E M E N T O B S U
```

BARBELL	GRAVITY	SETS
BODYBUILDING	KETTLEBELL	SIZE
CHIN-UP	MOVEMENT	STRENGTH
CONTRACTION	MUSCLES	TARGET
DUMBBELLS	PULLEY	TEMPO
ENDURANCE	REPETITION	TONE
FORM	RESISTANCE	WEIGHT STACK

128 Lakes of Switzerland

```
U W N U T C R U H T S S O H D
A S R C N I G Y H L P N U O H
J L U G S E C U G B G N T A O
L L O F G T N R Z R E U A P K
H L L H E E S R E T N U R S J
Q X U O J E D C A L E S O P W
E O G H U D S L K S V I M H F
H N A A J Z W N A S A H A C E
C O N S T A N C E B E L G I S
A U O E L U A E Q F L S G R S
P U P E I I J P I W I E I U N
M V N T C B P K I R H E O Z R
E E N R E C U L K D B S R W S
S C H I F F E N E N S E E G N
V S I U M A U S S P L V S I X
```

BALDEGG	LAC DE JOUX	SEMPACH
BIENNE	LUCERNE	SIHLSEE
BRIENZ	LUGANO	THUN
CONSTANCE	MAGGIORE	UNTERSEE
GENEVA	MORAT	WALEN
GREIFENSEE	SARNEN	ZUG
HALLWIL	SCHIFFENENSEE	ZURICH

129 Animated Films

```
R I P E M E L B A C I P S E D
I G N I K N O I L E H T A R L
C O H V E L C C S S R E S A T
T S T O O B N I S S U P D C C
L U S M I N I O N S L N O S R
I Y R O D G N I D N I F O A T
D E L G N A T Q G T U S R G D
Q T H E B O S S B A B Y C A T
E E L L I U O T A T A R E D T
F W R E C K I T R A L P H A B
S R F H I N S I D E O U T M N
Z O O T O P I A S H W C O I R
W T R Z J M B T B W Z A O K E
T E V M E S E U S X N D B C F
U Y U S I N G B R A V E S S N
```

BRAVE	MADAGASCAR	TANGLED
COCO	MINIONS	THE BOSS BABY
DESPICABLE ME	MOANA	THE CROODS
FINDING DORY	PUSS IN BOOTS	THE LEGO MOVIE
FROZEN	RATATOUILLE	THE LION KING
HOME	RIO	WRECK-IT RALPH
INSIDE OUT	SING	ZOOTOPIA

130 Golf Hall of Fame Inductees

```
G R P S D A S L L W A E V Q X
F W S O P P R H J L A E A I I
E L S D A V I E S A C R X K H
A T W H O G U O T O M A K O E
I I E A U O B E O S U E L A K
R S T C D T W P A O K L S B E
J W H L Z K E E F W I N S O G
R I E S F R I I B N N S I V N
S H R F Z R A N S B I R L X A
W Y E L D A R B S E F K L E R
S B D S Y W Z N L Y L E A R T
B B F E N L N R U K F R S Z S
Q D Y B Y S A R N O R M A N O
A P B T T K A G D A A A E H R
R R J I W E R I H H X O U P C
```

ALLISS	HOLLINS	RAWLS
AOKI	INKSTER	SHUTE
BRADLEY	JAMESON	STRANGE
CHARLES	LYLE	WADKINS
COOPER	NORMAN	WEBB
DAVIES	OKAMOTO	WETHERED
HIGUCHI	OZAKI	WOODS

131 Bonsai

```
L V Z E S L R A D B R L K T I
L U S H E A R S M W A Y V I T
A Z V U A C U T T I N G L R T
M Q G N I J N E P R U N I N G
S M I N I A T U R E N T M Y M
W E A K A D A M A C L A Y R A
Z A E C O I R B R U S H G T B
E E T D O O G N I T T O P E R
G E S E L T H L N T R E G M A
S X S E R I I T S E T I P M N
R A K E N I N R O R K E O Y C
I Z Y C N A N G I O P K V S H
Q T Q I X I P G S S R I N A E
R R U A A T H A L U T A P S S
T S S I B R L C J R A S N A T
```

AKADAMA CLAY	MINIATURE	SAIKEI
ASYMMETRY	PENJING	SEEDLING
BRANCHES	POIGNANCY	SHEARS
CHINESE	PRUNING	SMALL
COIR BRUSH	RAKE	SPATULA
CUTTING	REPOTTING	WATERING
JAPANESE	ROOT HOOK	WIRE CUTTER

132 Sound Recording and Production

```
E A U R A D K R P S R A M O S
A Y F S E D E A O Q L U G E B
A R B P F K P A V E S U I Z D
A T S L M M A R L I V C P I C
E S C B O E T E C O N H G C S
N U F E N D C Q P E T I L A I
O D U U F T I H U S T B M B K
H N F G R F T Q A A D P T T A
P I G O T Y E Q L N L U E C C
O R N L R R N D L I I I O Q O
R I I A F M G S N D A C T L U
C B G N E M A G R U P O A Y S
I B N A U S M T H R O C J L T
M O I D U A G W A V E S O S I
R N S I I S O F T W A R E H C
```

ACOUSTIC	FREQUENCIES	QUALITY
ANALOGUE	INDUSTRY	RIBBON
AUDIO	LOUDSPEAKER	SAMPLING
DIGITAL	MAGNETIC TAPE	SINGING
DOLBY	MECHANICAL	SOFTWARE
ELECTRONIC	MICROPHONE	SOUND EFFECT
FORMAT	MUSIC	WAVES

133 Tattoo Artists

```
B U H G I A S I I N I P M U L
P A N G T L A Z O N G A O D M
V L F E T U I T U A W S O Q R
T R S B U N L J G M P T R G K
Y T Q K E T O H Z F N A E D B
R V L O U B R S T F P I E M X
S S M H B S J A I O A S W T U
B L G R P U E T L H O E A Q Z
U T A S E G R P D C C B R U F
X U N H U I R C D P R T L A D
N H S Q A W Y T H I Q U I M T
F S J R A R R S V E E B C A B
V F U Y X M A O A T T O H U G
D Y B A R A N D A L L T Y S U
L I H A R D Y H A A K E D O S
```

AITCHISON	HOFFMANN	RANDALL
BOOTH	KOHRS	SAIGH
BURCHETT	LAZONGA	SAILOR JERRY
DEAN	LUMPINI	SKUSE
HAAKE	MOORE	VON D
HARADA	NEUTRAL	WARLICH
HARDY	PANG	ZULUETA

134 Italian Words and Phrases

```
R X F P E Y A L Q R A O A Y G
N A A R E S A N O U B D A A A
E O A O A R E V C V E M O C N
S N N B N P F M X E Q H L H A
J U A C O E R A T Z F T U E M
O T R E A R R I V E D E R C I
O Q R Q T P I B B O C I A O T
I O Y U L B I B M T R E A S T
L X W A R V R S C E Z E X A E
G H J N N A T O C C V O D E S
U I S T I O C E V O D O H H A
L L O O R T T A U Q T E N S L
G R G R W I T X M Y T R G I U
S Z G P N J P T D O L A E H T
S D I P T O R E U V R W E C E
```

ARRIVEDERCI	DOVE	OGGI
BUONASERA	FEBBRAIO	PER FAVORE
CERTO	GIORNO	QUANTO
CHE COSA	LUGLIO	QUATTRO
CHI	MESE	SABATO
CIAO	NON CAPISCO	SALUTE
COME	NOVEMBRE	SETTIMANA

135 Rude

```
S P L U F T C E P S E R S I D
V U H N I L S H O R T C A L P
D N I M N I C U R T R U Z S D
E G M A S V L T S A D I S I E
R R P N O I C K S A M U S P L
E A O N L C W S C P O C U R B
N C L E E N S I E U O K N Q A
N I I R N U O R T U B Q P K E
A O T L T U T P R L Q F L S E
M U E Y S I M T U R T L E N R
L S T E N U E N O U T R A A G
L E T E S O T B R A S H S T A
I J N E U I Y K E E H C A Y S
E T R S I M P U D E N T N T I
D P H S I L R U H C S J T I D
```

AUDACIOUS	DISAGREEABLE	INSOLENT
BLUNT	DISCOURTEOUS	PRESUMPTUOUS
BRASH	DISRESPECTFUL	SHORT
CHEEKY	ILL-MANNERED	UNCIVIL
CHURLISH	IMPERTINENT	UNGRACIOUS
CRASS	IMPOLITE	UNMANNERLY
CURT	IMPUDENT	UNPLEASANT

136 World of Warcraft

```
T M E P E I T D Q V Q C S S Z
A L L I A N C E D R O H A O O
B Q Q A D N C U S L O A Z D D
M T L J E O D R A P Y I F W G
O W S Y B R C A Z R H U M A N
C A U E L H H C R O S U O E X
S R G N I Y A L P E L O R L S
I R M L Z R J I P T N L E I G
Y I T R Z S P Z I T S O V Q W
Y O T T A T R P O U P S R X E
N R C S R T L M Z H T S E U Q
E B O O D A A K G L B Z S D I
E M L I Y G Y V W Q N R G S L
N L W E E T L K A P L A N U T
R U R V I P I P O X H S R I W
```

ALLIANCE	KAPLAN	QUEST
AVATAR	MAGE	REALM
BLIZZARD	MULTIPLAYER	ROLE PLAYING
CHILTON	ORC	SERVER
COMBAT	PANDAREN	SOLO
HORDE	PARDO	TROLL
HUMAN	PRIEST	WARRIOR

137 Liqueur Cocktails

```
T  T  E  A  P  X  N  O  C  E  L  A  M  W  P
I  O  W  A  L  W  G  O  D  M  O  T  H  E  R
S  M  V  B  M  O  B  E  L  T  T  I  K  S  O
A  A  K  X  T  C  A  R  R  O  T  C  A  K  E
U  T  E  L  B  U  O  D  N  E  D  L  O  G  N
U  E  B  L  U  E  B  E  R  R  Y  T  E  A  O
M  G  R  S  R  T  O  U  K  D  R  B  S  P  I
K  N  T  E  T  K  S  L  O  E  I  L  T  P  T
L  A  R  U  O  S  I  R  O  D  I  M  I  L  A
A  R  E  X  I  M  T  N  E  M  E  C  N  E  L
W  E  M  A  E  R  D  N  E  D  L  O  G  K  E
N  M  N  S  N  O  W  B  A  L  L  N  E  N  V
O  O  O  G  O  D  F  A  T  H  E  R  R  E  E
O  O  A  Y  G  R  A  S  S  H  O  P  P  E  R
M  B  T  E  U  Q  O  R  R  E  P  A  U  L  J
```

APPLE-KNEEL	GOLDEN DOUBLET	PERROQUET
BLUEBERRY TEA	GOLDEN DREAM	REVELATION
BOOMERANG	GRASSHOPPER	SKITTLE BOMB
CARROT CAKE	MALECON	SNOWBALL
CEMENT MIXER	MIDORI SOUR	STINGER
GODFATHER	MOONWALK	TOMATE
GODMOTHER	MOOSE MILK	WHITE RUSSIAN

138 Festivals

```
N Q T Y C I N O S O E R E T S
L F N R K C O T S D O O W E D
A A R U E A A H O L A U G M L
Q Z S B F C B G U H F N M O E
T N L N A N R I D T I S L O I
R A E O L P U W G R F L V N F
A G D T L G P F F D A U E R M
M A U S S V R O N P A N G I A
L V T A S L R E A U E Y O S E
I A I L F T P L E T F P O E R
N R T G C B O S P N U B S U C
E T A E Z O P I V U M U E T T
S X L S Z D O W N L O A D A D
H E N A M G N I N R U B N W E
S U N F E S T R E A D I N G C
```

ALOHA	FALLS	MOONRISE
BIG DAY OUT	FUN FUN FUN	READING
BURNING MAN	GLASTONBURY	STEREOSONIC
CREAMFIELDS	GREEN MAN	SUNFEST
DOWNLOAD	ISLE OF WIGHT	TRAMLINES
ELECTROFRINGE	LATITUDE	VEGOOSE
EXTRAVAGANZA	LOLLAPALOOZA	WOODSTOCK

139 Expensive Music Videos

```
S T M S E T D T L M R L A L G
J J A Z T E I R Y A R A A R P
F E K V I J E E R E E R T G N
B W E P H I A A O R K G R Q O
S E M R W N N D T C A E Z D V
F L E S R U O Y S S E R P X E
R D L J O Y T O E N R T D H M
E N I U K R H R M P B H E M B
E A K N C O E N I R T A G I E
E L E P A T R O T Y R N N A R
K Y Y R L C D T D H A L A M R
L R O E B I A A E P E I R I A
N I U T S V Y R B R H F T U I
C A R T O O N H E R O E S S N
P F S Y A T S T R O N G E R T
```

BAD

BEDTIME STORY

BLACK OR WHITE

CARTOON HEROES

DIE ANOTHER DAY

ESTRANGED

EXPRESS YOURSELF

FAIRYLAND

FREEEK!

GREEN

HEARTBREAKER

JEWEL

LARGER THAN LIFE

MAKE ME LIKE YOU

MIAMI

NOVEMBER RAIN

READY OR NOT

SCREAM

STRONGER

UNPRETTY

VICTORY

140 Sewing

```
L F W O O A C E P Q N A S Y A
N T P O C K E T H R E A D E R
D E D A R T E L E Y E G R I Y
S D D E T E B S U L D N T L S
T A T M L C H M U S L I N E T
Y R E B H P H S E R E C G G X
B N Q R T A M W A H W A O O A
T I S O T T A L O D O F N V H
R N N I A T E G E R R R D E S
P G D D R E S S M A K E R R Q
S R S E I R E H T A G T B L S
T A L R G N I N I L B N W A J
W I I Y I E G R Q I E I Q Y H
L N J B A U S T O Y Z P V P F
R Q Y A T U C L O A S U F U H
```

BIAS	GATHER	NEEDLEWORK
BINDING	GRAIN	OVERLAY
DARNING	HABERDASHER	PATCHWORK
DART	HEM	PATTERN
DRESSMAKER	INTERFACING	POCKET
EMBROIDERY	LINING	SEAM
EYELET	MUSLIN	THREAD

141 Counties of Ireland

```
Z L L W O Q O C X G E S Q V D
E V X P R E B P A A W R I K I
K P I B L L Y L A M H T A E M
W I C K L O W V A D D R Z R S
W P L P D A M Y I T M C O R A
A L Z K Y R O F F A L Y O Y R
Z I I H E N O M M O C S O R W
T Y S E I N W O N V K I H A K
Y U L O H E N G I Q C A T R S
R R I F X A F Y U F I E U E A
O O G F G O Z L A U R T O P R
N O O H R S U H A F E H L P S
E R A D L I K U O O M W L I J
D N P L E I T R I M I A S T L
H Z S E R U D Z C E L S E L S
```

CORK	LIMERICK	ROSCOMMON
GALWAY	LONGFORD	SLIGO
KERRY	LOUTH	TIPPERARY
KILDARE	MAYO	TYRONE
KILKENNY	MEATH	WATERFORD
LAOIS	MONAGHAN	WEXFORD
LEITRIM	OFFALY	WICKLOW

142 Gemstones

```
Y E T B N T A I L O V I U A H
A S T R S P I N E L U O S H S
N Q Z I R C O N T U P L J R Z
V T U A S E E F I A C E A M P
A A K A C K T L L S A L S P T
Q B U B M J A I O T R A P O U
S J T O R A U N C N N T E R N
Q Q A K E O R T I U E H R K Q
T P V D M H N I D T L A I B B
D B R S E P U Z N K I L D K T
A D A S R M Y M I E A I O B A
O N Y X A V L R I T N T T P U
C S T F L U O R I T E E S T K
L B U C D Z A P O T E R U W T
T A O E P R U T I L E P G Y C
```

AQUAMARINE	HUMITE	POLLUCITE
BRONZITE	INDICOLITE	PYRITE
CARNELIAN	JADE	RUTILE
EMERALD	JASPER	SPINEL
FLINT	ONYX	TINAKSITE
FLUORITE	OPAL	TOPAZ
HALITE	PERIDOT	ZIRCON

143 Fish

```
I D Q O A E N R T K W C X Q S
N S W Y U B P K S S Y M H E N
R A E A R I L R X U B U O A U
A N T A R C T I C C O D U W R
T F B A R F G E N K G F N L S
T W N C G T L U A D Z I D R E
P H U L U U H O P M S S S L S
A G O O I I G W A P A H H B H
A L O W H F N V O C Y E A A A
J O H N D O R Y Q R H N R R R
H S I F G O R F S I M S K B K
Y H S I F R E F F U P E I E Z
L H H S I F K N O M S M E L T
G T L H S I F N O I L Y S L J
P G S A S V P N R Y T P R P E
```

ANTARCTIC COD	DWARF LOACH	LIONFISH
BARBEL	EARTHWORM EEL	MONKFISH
BLIND SHARK	FROGFISH	MUDFISH
BREAM	GOBY	NURSE SHARK
CHAR	GUPPY	PIRANHA
CLOWNFISH	HOUNDSHARK	PUFFERFISH
CUSK	JOHN DORY	SMELT

144 Musical Composition

```
A R T S E H C R O S O U N D R
U X I L P B E R U T C U R T S
A K A C C O M P A N I M E N T
C C G U R U P S C A N I X A R
S M K C O M P O S E R N B B S
K Y G T P Z P N C T H S T C Y
G K D I A Y V G O O T T O S A
T N E O R A A W N T C R T R E
S C I I L P P R C S E U H S L
E E G D X E D I E I L M R E A
H H T Q R T M T R C M E C A C
T P O D N O R E T I V N J C O
S U R O H C C R W R W T V O V
B A S S L I N E P Y H A O S X
N O T A T I O N R L U L G M H
```

ACCOMPANIMENT

BASSLINE

CHORUS

COMPOSER

CONCERT

COPYRIGHT

INSTRUMENTAL

LYRICIST

MELODY

NOTATION

ORCHESTRA

PIECE

RECORDING

RONDO

SCALE

SCORE

SONGWRITER

SOUND

STRUCTURE

VERSE

VOCAL

145 Coffee Roasting

```
O L T Q P I U B S G A B F L C
W I H A E O M R U Z G C D M T
A C G T I M H E A T S U G A R
S E I U M K U W C N I N N T J
T R L L J R S I N A E B O Q I
C R E I A A A N D Z Q D O R W
R O Z T F D T G M E S R P P K
Q P M M T O O R A T M A S U S
O L R P L U R I C S L L O O V
T U W O O Q B P I A A L Z S O
T J E A T U Q V D T O I N T P
A F I B L E N P A L R A H E Y
T T G U P S I D A I U M Z A C
D B H A F V Y N T O B U H M Z
T R T G L L E M S R O A S T W
```

ACID	HEAT	ROAST
BAGS	LIGHT	SMELL
BEAN	MAILLARD	SPOON
BREWING	MEDIUM	STEAM
BUTTER	OIL	SUGAR
COMPOUND	PROFILE	TASTE
DARK	PROTEIN	WEIGHT

146 German Expressions in English

```
V P E W A V U A E V D T S Q R
J N F D I Z R M N G Y U Q A V
B I L D U N G S R O M A N A R
K L I Q O E M E P X X G L O T
T E E U P S R K R Z S E T V T
P P S A T S S F S T D T J E Z
H P B R A I R T N E W M I A E
C E A T S I E G R E T L O P I
S Z Z Z K I W H I U D R D W T
T D Y P N T O L D S D A I C G
I T L A T S E G T N U E H R E
K A I S E R U M L A U T L C I
G O D N U H S H C A D S I A S
S S U H C S C H N A U Z E R T
I I J T Y T R M F O B E O G R
```

ABSEIL	KAISER	SCHNAUZER
ANGST	KITSCH	SCHUSS
BILDUNGSROMAN	LEDERHOSEN	STEIN
DACHSHUND	POLTERGEIST	STRUDEL
ERSATZ	QUARTZ	UMLAUT
GESTALT	ROTTWEILER	ZEITGEIST
GESUNDHEIT	SCHADENFREUDE	ZEPPELIN

147 French Surnames

```
R E D N O F R O M E N T K P N
I J A U A E L E D R O B L U K
R E I H T U A G E R S F R Q I
L O Q O A L M J L L S K K P B
B M A I N G O N E K I X E Z T
B O U D I E R S V E D T F M X
E C N I R P E L I W R G S O F
M T I A L T A U N A A I Y A X
M O L Y N E U X G G S L F J C
A U E X K R X P N O A N L L H
L Q D N O M E E E S T S Y M A
F C B L E A U I T O O I A L N
A A L A S X H I D C G T Z E A
L J U L L I E N T O U U Q S L
B H P V T R P T I H H C G H O
```

ARDISSON	EMOND	JACQUOT
ASTIER	FONDER	JULLIEN
BORDELEAU	FROMENT	LAFLAMME
BOUDIER	GAGNEUX	LAMOREAUX
CASTILE	GAUTHIER	LEPRINCE
CHANAL	HODIERNA	MAINGON
DELEVINGNE	HUGOT	MOLYNEUX

148 Marvel Cinematic Universe Performers

```
L R T R S K W H Y U Z R S Z R
I D Y H S E J T D N O R T G J
V S O N O E R R G S O X H N D
T L H T L M J O H A N S S O N
P L P A S Y P W T L A Q R W A
H R O U E H S S I D L I T A L
P E P N N M I M O A L O H U L
E P W T A T T E F N I R G Y O
T O U D U U L H R A G U I L H
D O A A S R N N A M E E R F J
R C B T W A I T I T I S W E Y
M R C O A E S O J R T B O L I
C Z T A A R I H U O S A L H Y
A X P C R I S D U P B I R F M
Q K Q A Y A D N E Z L F T P M
```

BAUTISTA	JOHANSSON	RUDD
COOPER	LARSON	SALDANA
DOWNEY JR.	LILLY	THOMPSON
FREEMAN	MCADAMS	WAITITI
GILLAN	OLSEN	WONG
HEMSWORTH	PORTMAN	WRIGHT
HOLLAND	PRATT	ZENDAYA

149 Tennis Hall of Fame Inductees

```
E G S S R L E A S P R K M O Y
Q N Z C R O T S R U H K A C U
S A L I V P D P R R T Z U T I
F H V S I U K C I D D O R V L
L C R E I R U O C L D N E L E
T R R L R I N I T A B A S Y G
E C S E E E M E R S O N M E N
E I U S N A V R A T I L O V A
R R G D T U O Z S B E C K E R
T U E I G S M I T H C O U R T
J N U W U I G A M C E N R O E
A T I N Y N X Q T P L H U E I
S T A R I J E S S G H H S D P
O G P H A K X A A P T T Q A L
N Y G Q R Y A M B O Z I X W M
```

AKHURST	LENDL	RODDICK
ASHE	MAURESMO	SABATINI
BECKER	MCENROE	SELES
CHANG	NAVRATILOVA	SMITH COURT
COURIER	OSUNA	VILAS
EMERSON	PIERCE	WADE
HINGIS	PIETRANGELI	ZVEREVA

150 Cate Blanchett Roles

```
F R E L L U F Y S I A D L T Y
G G R A V S E N O J N A S U S
Z T E D V A L K A O S X U P C
L T L Y D O D N R I K O X I O
E Z G T S R I N L O U F S R N
I V E R O N I C A G U E R I N
R S I E E U T A L M P T U N I
D H W M N F H E L A A T J A E
A E A A K E X E M O C E E S F
L B S I M S S Y M D R D H P A
A A S N A I R A M Y D A L A L
G H I E R A M A B R A N C L Z
T A R T M T S E L M B R T K O
T R A C Y H E A R T R E N O N
H T M G N A L L I A G B U E E
```

AMANDA

BERNADETTE FOX

CAROL AIRD

CONNIE FALZONE

DAISY FULLER

GAIL LANG

GALADRIEL

HELA

IRINA SPALKO

JANINE

KAA

LADY MARIAN

LADY TREMAINE

LOU

MARISSA WIEGLER

MARY MAPES

SHEBA HART

SUSAN JONES

TRACY HEART

VALKA

VERONICA GUERIN

151 Golden Raspberry Award-winning Directors

```
C E A E A M N A H W F C X T A
O B U Q U R B T A K N T Z G R
S I V E R T S O N N B N T H P
T O N O A O V H A A R O J U S
N T N A R S C L I I S D L H A
E S E R K N A R T O U N P L Y
R R V E Y M O C S S B O A Q F
C G E L A L H B I U F C P V N
O V O Y L I I N R O U I H N S
M B H R E N T A H S T N C D N
E S R E O I I M C O H E N B O
I T E P N A L G F C E N A S G
S O V O D Z B R E S T Y G A P
A C S O I S I E Z K A E U B S
R R E H S A L B T A A E D E V
```

ASHER	CONDON	RITCHIE
BAY	COSTNER	SHATNER
BERGMAN	DUGAN	SHYAMALAN
BOLL	HOOPER	SIVERTSON
BREST	LEONDIS	TRANK
CHRISTIAN	LYNCH	VAN SANT
COHEN	PITOF	VERHOEVEN

152 Golden Raspberry Award-winning Performers

```
V M K U T C H E R M O O R E Q
G T A L G R H Q N C K V V N X
W M O O E G A O K C E S O O B
P P A D O F S W C A N R E L C
P Y B S A N D L E R O E Z L X
R H N N H U G M L T T Y A A R
U K C O L L U B F H S M I T H
W N J H T R E L F Y C N D S U
T A A G P L W N A N R O D I Z
L L A H H A I O K D U F F L G
E W Y P O D P H S O I T L L L
T U W R S L D J H I S K R I S
B Y D Q R I N S U U E I A W T
D O X F K E M T S Y H O A I P
R K I O A H B R E N X S A W R
```

AFFLECK	HILTON	MYERS
BERRY	JOHNSON	SANDLER
BULLOCK	KUTCHER	SMITH
CRUISE	LOHAN	STALLONE
DIAZ	MCCARTHY	STEWART
DORNAN	MOORE	STONE
DUFF	MURPHY	WILLIS

153 'S' Shades

```
U E T M E K H V A L U S P T W
Y G R J W O N S U O A H W Y J
D A X I M Y C I P S F S C I P
N S F C E B O S P R P S L S Z
A W T Y W R B P Y R S O A P W
H E S O A Y A A I P E M E I O
S E A G R E E N R G A V T O D
K T L U T J G I M D T S L A A
Y B M U S G N S M O K E E I H
B R O M R G I H A I F A E P S
L O N E F E O B R L T L T O U
U W E R N N C L T T E C S N N
E N O N R A F U A K R M C I S
M S A L R Q O E H G A B W S E
T R M I K P E R U K L U B Z T
```

SAGE	SILVER PINK	SPICY MIX
SALEM	SINOPIA	SPRING FROST
SALMON	SKY BLUE	SPRING GREEN
SEA GREEN	SMOKE	STEEL TEAL
SHADOW	SNOW	STRAW
SHANDY	SOAP	SUNSET
SIENNA	SPANISH BLUE	SWEET BROWN

154 'J' Words

```
I R G L W M R R L R J T A A U
Q X Y T T E J T S I O J C T G
T Y Y T N U A J X S L I N D L
J H R E D A R F Y X T W N I I
B T C G K Y Z R L Z P F P U A
A R E C O C I K E E L G N U J
B W J P D J O I N T O S T A O
H W Y J S J N J C J S X V A U
P R I U U T S O Y H A E I X R
H M E R A M L S S P L G J O N
I X Y M U S B T E I O G G B E
T J S J E W E L N R T U A E Y
A R T N J F S E E C Q T N K D
C R R M I A V A T U O L E U C
I E I M I H Y S U O L A E J K
```

JAGGED	JETTY	JOURNEY
JAIL	JEWEL	JUDGE
JAUNTY	JOCKEY	JUKEBOX
JAVELIN	JOINT	JUMBLE
JEALOUSY	JOIST	JUNGLE
JESTER	JOLT	JUNIOR
JETTISON	JOSTLE	JURY

155 Olympic Host Cities

```
I U O R I E N A J E D O I R U
P O L A E R T N O M P O R M L
G Q T O R W T O Z S R C R D E
E T N O D N O L S O C H I S T
S Z I I N H S E O Y M R A G P
D A S I M O S C O W D R L D O
U I R N F G L R K N R N B N C
P U C A E O N A G A N Q E T E
T Z A A J H P B R B J G R Y B
X B L A L E T A T N A L T A O
H Z G T H P V A N C O U V E R
W L A O B J E O G N I J I E B
A T R K U U R K S E O U L N L
M R Y Y R E M M A H E L L I L
O R L O S A N G E L E S E G D
```

ALBERTVILLE	LILLEHAMMER	SARAJEVO
ATHENS	LONDON	SEOUL
ATLANTA	LOS ANGELES	SOCHI
BARCELONA	MONTREAL	SYDNEY
BEIJING	MOSCOW	TOKYO
CALGARY	NAGANO	TURIN
LAKE PLACID	RIO DE JANEIRO	VANCOUVER

156 Arctic Flora and Fauna

```
Y S B T M U S K O X S I U Y G
T P Q A R C T I C F O X E I B
U O P E L G A N A R W H A L U
U L G O L E G R C A B R T W L
P A R A P A E N I R E V L O W
B R I N R C H N I B X S A Y G
S B Z V S C I W W M O F O W I
P E Z E T H T T R H M U K O U
W A L R U S T I C E A E O N M
L R Y J T H E S C R L L L S I
A A B E L U G A W H A L E X S
P E E H S L L A D G A Z I A E
Q N A S B E A R B E R R Y K D
S A R C T I C W O L F Q E P G
H O L E I F N W C W S O M A E
```

ARCTIC FOX	CARIBOU	NARWHAL
ARCTIC HARE	DALL SHEEP	POLAR BEAR
ARCTIC POPPY	GRIZZLY BEAR	SEAL
ARCTIC WOLF	KILLER WHALE	SEDGE
BALEEN WHALE	LEMMING	SNOWY OWL
BEARBERRY	MOOSE	WALRUS
BELUGA WHALE	MUSKOX	WOLVERINE

157 Alice in Wonderland

```
U A H V X X D O S R R F J R A
D Q N G A U R Y T R A P A E T
V D U M K P J O G N I M A L F
N S U E A A D U C K W O R T H
O T A C E R I H S E H C L R E
H J W M H N C A R R O L L U S
P U N X R E O H D N Q T D T N
Y D O D O P S F H R E R R K E
R G N A S X H S H A I K O C S
G O L D E N A F T E R N O O N
P N R U S D T M S N A E K M O
B I L L T H E L I Z A R D M N
T T W H I T E R A B B I T R E
H A T T E R I V E R I S I S R
C R O Q U E T L K W D V R L K
```

BILL THE LIZARD	DUCKWORTH	MOCK TURTLE
CARROLL	EAT ME	NONSENSE
CHESHIRE CAT	FLAMINGO	QUEEN OF HEARTS
CROQUET	GOLDEN AFTERNOON	RIVER ISIS
DODO	GRYPHON	ROSES
DRINK ME	HATTER	TEA PARTY
DUCHESS	MARCH HARE	WHITE RABBIT

158 Crosswords

```
I  B  O  R  S  A  S  N  V  B  E  P  I  O  I
D  A  H  P  S  R  E  W  S  N  A  O  A  E  G
G  O  I  M  O  K  A  S  P  W  Z  M  T  R  Y
E  S  W  A  R  C  L  B  B  P  E  H  I  A  T
E  E  A  N  C  I  T  P  Y  R  C  D  H  U  U
W  S  O  A  A  U  I  X  I  V  I  S  I  Q  E
L  E  T  G  E  Q  L  C  E  L  L  T  L  S  R
J  N  S  R  E  P  A  P  S  W  E  N  I  E  H
R  A  G  A  A  N  S  H  P  T  H  K  K  S  U
C  P  A  M  E  I  A  K  R  R  H  R  I  A  H
R  A  U  R  O  D  G  L  E  N  Z  A  P  R  H
P  J  T  Z  E  R  U  H  T  Z  R  R  T  H  S
A  R  C  D  Z  Z  H  R  T  T  I  L  H  P  G
E  S  M  N  M  L  E  X  E  Z  T  S  K  T  M
D  E  Y  V  A  L  E  U  L  C  S  T  P  A  L
```

ACROSS	CRYPTIC	PUZZLE
AMERICAN	DOWN	QUICK
ANAGRAM	GRID	SHADED
ANSWER	JAPANESE	SIZE
BRITISH	LETTER	SQUARE
CELL	NEWSPAPER	STRAIGHT
CLUE	PHRASE	SWEDISH

159 Freshwater Aquarium Plant Species

```
H U F J S S O M W O L L I W A
A L G U L I Z A R D S T A I L
I W Y H E L Z I N E P U R A A
R W B A N A N A P L A N T L W
G S U T O L R E G I T T X A A
R R Q U I L L W O R T S T T T
A N R E F A V A J Q E E A O E
S S O M S A M T S I R H C R R
S S O M A V A J T L D C L F V
R H D U C K W E E D O R T R I
S S A R G R A T S A C E G A O
Y D O L I A T X O F K T V W L
Y D A I L U B M A F R A W D E
W S A K C R Y S T A L W O R T
W A T E R C A B B A G E D Z J
```

BANANA PLANT

CHRISTMAS MOSS

CRYSTALWORT

DUCKWEED

DWARF AMBULIA

DWARF ROTALA

FOXTAIL

HAIRGRASS

HELZINE

JAVA FERN

JAVA MOSS

LIZARD'S TAIL

QUILLWORT

SPATTERDOCK

STARGRASS

TIGER LOTUS

WATER CABBAGE

WATER CHESTNUT

WATER LETTUCE

WATER VIOLET

WILLOW MOSS

160 Rock Musicals

```
G R E A S E K U M F S S B T Z
X O A V R Y C O R W L E A U O
T W D S O D O Y A S E D T U H
S L N S I L R K L M E N O T C
Y S A I P N F C E L H O U H Y
A Z B H R E O O S R R L T E S
S T E P O K L R T G E B O C P
F R H M C I O L A U V Y F A N
M A T E K N O L T I O L H P A
S O U M O G H I I G D L E E C
C S I U F K C W V H A A L M I
R H T L A O S E E X E G L A R
Q R E N G N A W I V H E Q N E
C Z L S E G U O R N I L U O M
Y A R P S R I A H H S F D T A
```

AIDA	GREASE	MOULIN ROUGE
ALL OUT OF LOVE	HAIRSPRAY	RENT
AMERICAN PSYCHO	HEAD OVER HEELS	ROCK OF AGES
BAT OUT OF HELL	KING KONG	SCHOOL OF ROCK
CHESS	LEGALLY BLONDE	THE BAND
EVITA	LESTAT	THE CAPEMAN
GODSPELL	MEMPHIS	WE WILL ROCK YOU

161 Mercury

```
D Q D K S G C L F K E T O O E
T N Q L M A S R O D E I E B L
O I E S E L V T U J B B A M T
L S B W T I P A D S R R S O N
S A A U S L F L S Y T O S L A
T B A W Y E M C A I P C O O M
O S P K S O W A I N H I F C L
J I R L R N F B D T E R K I P
B R O M A N G O D R E T W P P
A O C E L I M E S S E N G E R
S L K A O A N T C L B E G B C
I A Y S S I S S H Q S C A A O
N C P T E P S U I R U C R E M
P I C A S S O C R A T E R S E
B R D E K C O L Y L L A D I T
```

BEPICOLOMBO	FOSSAE	PLAINS
CALORIS BASIN	GALILEO	PLANET
COMET	MAGNETIC FIELD	ROCKY
CRATERS	MANTLE	ROMAN GOD
CRUST	MERCURIUS	SOLAR SYSTEM
DORSA	MESSENGER	TIDALLY LOCKED
ECCENTRIC ORBIT	PICASSO CRATER	TOLSTOJ BASIN

162 Polar Explorers

```
D B R A N S F I E L D R H F H
M U M U S A N L U T K V T Q I
A K X Q M R N M O W A I S P N
W O R N R L Y S D K A T T Y S
S R O O A L A E E R V Y I O R
O B N D R M M R A N O T I E C
N N A B V M A C K E N Z I E R
E M R A E D C N Y A E C I R I
S Q L N G D K A A A L U I A P
D V L C R C I E R H K E T C F
N P O R O D N V E T A C A N U
U M P O E K T I L M I N A V R
M Z K F W G O R L T X E P M O
A R C T O W S K I A B O R Q Q
P M U L L A H S R A M H S A S
```

ADAMS	COOK	MANAHAN
AKER	DEMME	MARSHALL
AMUNDSEN	KLENOVA	MAWSON
ARCTOWSKI	LITKE	MAY
BANCROFT	MACKAY	MEEK
BRANSFIELD	MACKENZIE	NANSEN
CARTIER	MACKINTOSH	RONNE

163 Born in 1980

```
I C A N N O N M I L E V I U U
R I C C I C A R D E N D C F N
T W R N D E S C H A N E L R T
R A C X O X W Q D E G A E S I
E F T H Y S I J V T I D E E U
T A A E R P L R L N R G V C Y
S R T F E X L I A A E G C R E
O S U R P L I U W L O N U P C
F A M J M Y A S G S W N L S W
W W R E E C M H L A A U K J L
K B S B K G S I U J V M I G E
I E U O R E N U E N I P N A L
R L Z E S G A D N A R I M N O
E L E O Z T C M A N N U H O I
S N P K P R O T K E P S F I E
```

ARDERN	GOSLING	PINE
BELL	GREEN	RICCI
CANNON	HUNNAM	SEGEL
CARDEN	KEMPER	SPEKTOR
CULKIN	LEVI	TATUM
DESCHANEL	MIRANDA	WILLIAMS
FOSTER	MUNN	WILSON

164 The Jungle Book Characters

```
P L I N I J J A G S E L O H D
A L L O T N O W R V M M H G E
N O U P U G N A M L Y P T H G
V R O R Q A R R A E S R R X L
Y R G L R H A S R A A J B C N
D P R F A N M X D R H L S H P
E T P X S B A T P B J S E I O
E S A A R E E H G A B S K K I
J X E B I S J X D N I U U A A
T A E C A I O S X D X H X I R
F S C X H Q T H A A V L T H S
I A N A K I U R T R I D F A H
S H O P L A L I P L R N U T H
P I S G K A M A O O K A A O F
Y T Z O P L M I P G J T H U U
```

AKELA

BAGHEERA

BALOO

BANDAR-LOG

CHIKAI

CHIL

DHOLES

GAJJINI

HATHI

JACALA

KAA

MANG

MAO

MYSA

RAKSHA

RAMA

SAHI

TABAQUI

THA

THUU

WON-TOLLA

165 Oliver Twist

```
H T P I C K P O C K E T R D R
I U C R E I L Y A M E S O R U
J N R H A N N V N R N Q T T P
U D E L A B I L L S I K E S S
C E G W I R W W O O G L A P P
L R D O G N L A D W A F V L Y
Q T O R K A R E L E F O S O L
Y A D K N N T S Y R T G C L A
D K L H O C U E O B O H U A N
C E U O D Y P N P E A O W I I
E R F U N S H G V R J T P R M
P B T S O I A A D R I Y E E I
O O R E L H U A D Y P S D S R
P C A L M R B R O W N L O W C
I S K N O M I S F O R T U N E
```

AGNES	LONDON	PICKPOCKET
ARTFUL DODGER	MISFORTUNE	POOR LAW
BILL SIKES	MONKS	ROSE MAYLIE
CHARLEY BATES	MR. BROWNLOW	SAFFRON HILL
CRIMINAL	MR. SOWERBERRY	SERIAL
EDWIN	NANCY	UNDERTAKER
FAGIN	NEWGATE PRISON	WORKHOUSE

166 Washington Metro Stations

```
C S S D U W A T E R F R O N T
S O I E A R O C K V I L L E L
Z L U L L O E C H E V E R L Y
B P L R V C R A T R U A C G N
S E A S T E R N M A R K E T A
M N N U P H R I O O H L R S Y
I T D N A R O S C S K A B E L
T A O O I D I U P T I A L R O
H G V D T N S N S R N D T O R
S O E N S A G E G E I O D F R
O N R E O E P R H H R N P A O
N C L R C L W P O T I I G U A
I I R A A C B N U A E L S E D
A T T L N M V Q J I D B L R C
N Y W C A G R E E N S B O R O
```

ADDISON ROAD	DUPONT CIRCLE	PENTAGON CITY
ANACOSTIA	EASTERN MARKET	ROCKVILLE
BENNING ROAD	FOREST GLEN	SILVER SPRING
BETHESDA	GREENSBORO	SMITHSONIAN
CHEVERLY	LANDOVER	SPRING HILL
CLARENDON	MCLEAN	TAKOMA
COURT HOUSE	NAYLOR ROAD	WATERFRONT

167 Narrative Techniques

```
X R O A H Z C R L Z L P P R Q
O G O L N Y Y U I O I N S G S
X C N L Q A P P A S T I C H E
Y A O I M A G E R Y S R A R T
M M M T W I S R R A T O S P T
O E A E S O U T A B R N Y A I
R T T R R I D Z P M O Y N R N
O O O A U I W A I A W L D A G
N N P T P S T T H B T I E D T
Z Y O I S H E A T S I H T O I
R M E O O U O A S O E Y O X L
Z Y I N H S V R C P L R N S A
S T A I T R A M A H Z P O A Z
G R B O A E D A A Y I N C F G
P T W L B S V X Q O T J V E S
```

ALLITERATION	HYPERBOLE	OXYMORON
ANAGRAM	IMAGERY	PARADOX
ASYNDETON	IRONY	PASTICHE
BATHOS	LEITWORTSTIL	PATHOS
CAESURA	METAPHOR	PLOT TWIST
FORESHADOWING	METONYMY	SATIRE
HAMARTIA	ONOMATOPOEIA	SETTING

168 Islands of Spain

```
V O L A G R A C I O S A L L F
P I P T R O C A D E R O D Z E
U F S R T A R E T N E M R O F
A Q U L U Y L A N Z A R O T E
V A I R A N A C N A R G A O Z
R T H U S D O N A H E T N O M
E A R U T N E V E T R E U F A
F N N W A I O M B P N M E L L
I L L A D E A R O U S A E A L
R K A S O R D E P U R G S R O
E S A N C T I P E T R I I E R
N A Y E I S L A M A Y O R R C
E W L E A C R O N E M D Z B A
T K K N K H K Z A I B I Z A D
X E G A R R A I T Z C C U C Q
```

ALEGRANZA

CABRERA

FORMENTERA

FUERTEVENTURA

GARRAITZ

GRAN CANARIA

IBIZA

ILLA DE AROUSA

ISLA DE MOURO

ISLA MAYOR

LA GRACIOSA

LANZAROTE

MALLORCA

MENORCA

MONTEHANO

ONS

PEDROSA

SANCTI PETRI

SANTA CLARA

TENERIFE

TROCADERO

169 Indie Pop Artists

```
P M L N K T E F R I P I C P U
T H E K O O K S K X J H O T R
Q A U L A A E Y T A V G Q A G
O R I A L C I Y W R T B A T R
G R I M E S X S C R J W W I B
C Y D R I B M H L Q O F I K L
H S I L I E E I L L I B H G O
A T U O F S B G N O S A N K S
R Y E R L E D A N A L O Z L S
L L O D E W T A S I R Q E D O
I E S E R I A L D T R C U A M
X S Q I O P Z S Y T I O A M S
C R A N P S D O O R B L P P G
X W I L O R Y Q H N U T L T G
M Y E S S I R R O M G M T E I
```

AWOLNATION	CHVRCHES	JAWS
BASTILLE	CLAIRO	KHALID
BILLIE EILISH	FIONA APPLE	LANA DEL REY
BIRDY	FKA TWIGS	LORDE
BLOSSOMS	GRIMES	MGMT
BROODS	HARRY STYLES	MORRISSEY
CHARLI XCX	HOZIER	THE KOOKS

170 Cities in Oceania

```
T Y F C O W R S G N I C S B E
S L E E G E E L O N G M C U D
L H O N O L U L U N A H Y C Y
Z A M R D Z I T L I R G R M A
V F I E P Y U A T I E N R T U
A E Z N A T S L S E N O Y L C
S V V A S U A T A D R G E D K
D N U B E N C A O I U N T C L
I P R S D H S R C A O O E O A
F E N I U X H R D L B L E A N
S R P R A X O E L E L L P E D
U T C B U C B B O D E O A T R
P H T A U R A N G A M W P E S
I O T P Y X R A R A I N O H K
A B R S J Y T C O W G P Y W L
```

ADELAIDE	GOLD COAST	PAPEETE
AUCKLAND	HOBART	PERTH
BRISBANE	HONIARA	SUVA
CAIRNS	HONOLULU	SYDNEY
CANBERRA	LAE	TAURANGA
CHRISTCHURCH	MAITLAND	WELLINGTON
GEELONG	MELBOURNE	WOLLONGONG

171 Anime Franchises

```
M A D N U G O Y S W Y X E T N
R E C O S L L A B N O G A R D
H C V G R U Z T R S B U T A O
N E L E I A S Y H H O A S N B
G I L U E N E O T P R M O S E
Q P H S P W T M R R T R H F Y
P E A R J I P A O B S X G O B
T N M B S P N M M N A O E R L
S O T Y O K A I W A T C H M A
M N A N O C E V I T C E T E D
T O R X S L Q H O I G U Y R E
L N O M I G I D A R U X L S S
D A J M F A I R Y T A I L R Y
S T H D I S A I L O R M O O N
O T U R A N K B L E A C H J T
```

ASTRO BOY	FAIRY TAIL	NARUTO
BEYBLADE	GIN TAMA	ONE PIECE
BLEACH	GUNDAM	SAILOR MOON
DETECTIVE CONAN	HAMTARO	SAZAE-SAN
DIGIMON	HOLLY THE GHOST	TRANSFORMERS
DORAEMON	LUPIN III	YO-KAI WATCH
DRAGON BALL	MOOMIN	YU-GI-OH!

172 Samurai

```
M I X T H U V W O K E K A T L
U H R P J T A G A N E N U S T
S S S O U S A Y E I D E E U O
A O T R N I P U S H I W W N C
S Y A A S E J X C S H P Y E K
H E S G K I N S M N U X L T M
I D Y U M A A U M E S Y F O D
N I L A A A D A M K T U U M V
G H S G M A S A S H I G E O S
E A T A E A L I T R M R P E X
N E R N M U S S H A M N G M M
Z O Y U K I M U R A L X G I F
U U N B T G T W K L K Q M J S
L E G O Z E N I R O M A K A T
T P U N P O L A W T N A T H Y
```

GOZEN

HAJIME

HIDEYOSHI

IEYASU

KENSHIN

MASAMUNE

MASASHIGE

MITSUHIDE

MUNENORI

MUSASHI

NOBUNAGA

SHINGEN

TADAKATSU

TAKAHISA

TAKAMORI

TAKEKO

TSUNENAGA

TSUNETOMO

UJIMASA

UKON

YUKIMURA

173 Cardinals

```
J S A A I T F R L I T T L T L
R P M U J P T P F P T G C O J
A F Z L S R K B E P E S O T M
I N D D E A A S A L S A M F S
A S N U Z G I G A R L I A J S
W A K K N C R T Y N B C S D Q
P L D A H T Y I C S D A T R E
L O S L A L E N C H E R R Y P
E C L L I A L L I A F G I I E
O S L E N N L O L L R E U J N
T U L T O M A T V E O D T R G
L G R S L S M P A S U R P M O
O U H Z I R O T E B A O A S V
C O U F F K B C H Q I R O P H
N F G U T C A A U R X G Q G T
```

ALENCHERRY	GRACIAS	PELL
BAGNASCO	MARX	PENGO
BARBARIN	NJUE	RICARD
BETORI	NYCZ	SANDRI
COMASTRI	O'MALLEY	SCOLA
DUKA	OUELLET	SEPE
FILONI	PAROLIN	STELLA

174 Engraving

```
T R K F C I N T A G L I O P Z
I N E M E X G E O M E T R Y O
U M I H J G N I H C T E C T Q
N F E T S T E E L I T G S X K
J U L Z E I P T J J E N R Z N
L I E A Z L N L A Z R I E H E
D P A N T O G R A P H K V A U
P E L E M G T N U A E A A N E
M R S A M A R I A B A M R D V
E E A I T E I A N I D T G P O
J V L J G E Z H V T L N G I O
F L O R E N T I N E L I N E R
D I U X X C O P P E R R I C G
S S A L G O L D R R K P R E L
G K M P O H T O F P I D C S W
```

ANGLE TINT	GEOMETRY	MEZZOTINT
BURNISHER	GLASS	PANTOGRAPH
COPPER	GOLD	PLATE
DESIGN	GROOVE	PRINTMAKING
ETCHING	HANDPIECES	RING GRAVERS
FLAT GRAVER	INTAGLIO	SILVER
FLORENTINE LINER	LETTERHEAD	STEEL

175 Mountain Biking

```
R P H M S E K A R B J U M P S
U U U A U F R A M E R Z C E S
V S G M S M F F R E E R I D E
E J T R P H A O G F O Y T V N
O T I N E S L P P S R T E C T
U X K A N B L L S O B N R O I
S I D V S E M C I A R B R F F
R V I I I A O U L H A D A A A
L Z A G O U U A W C N I I R O
R N T A N L N A K J R W N S T
H R S T F C T P Z B A P O L R
E O R I E E A R O A F Y U D T
U Y I O R C I R A F Q O T L E
T T F N K E N O Z I D M U E T
R Q S L E E H W L U L J S A I
```

AIRBORNE	DROP OFFS	NAVIGATION
ALL MOUNTAIN	FIRST-AID KIT	PUMP
BACKPACK	FITNESS	SUSPENSION
BALANCE	FRAME	TERRAIN
BRAKES	FREERIDE	TRAIL
CROSS COUNTRY	JUMPS	WATER
DOWNHILL	MAP	WHEELS

176 Poisonous Plants

```
B U C K T H O R N L S L H E A
L N J X D E A T H C A M A S P
A U Y U N U K I Y G K B F R T
C H I N E S E W I S T E R I A
K H S R D Y A E L A Z A I L E
N T O U E E L J R W S A C P P
I O O N B D E I R T Q N A R N
G D N O E R N W L R G X N I A
H A G U R Y E A E A O N S V I
T F A I P D B T E K L T U E D
S F O A A R O U S L O L M T N
H O N Y V I N O S I O P A S I
A D G R E K K S L H L O C C T
D I A N E K C A R B U B D E S
E L P P A Y A M A N D R A K E
```

AFRICAN SUMAC

AZALEA

BLACK NIGHTSHADE

BLISTER BUSH

BLOODROOT

BRACKEN

BUCKTHORN

CALLA LILY

CHINESE WISTERIA

DAFFODIL

DEATH CAMAS

HONEYBUSH

INDIAN PEA

MANDRAKE

MAYAPPLE

OLEANDER

ONGAONGA

POISON IVY

POKEWEED

PRIVET

TUNG TREE

177 Banana Varieties

```
X T T A C M J P I D D R E P I
H O I P I G O B O W N I S S Y
B I J G S M U B Y A R U A O P
W L R G E L L T T R E T K O O
U M W R U P B U F G W A B S
T Y A O P E N L A R N K M R R
U S P S I G A U E E I V B A W
E O O M N N D E B D F V O P N
P R R I K I N J N D Y C E A A
Q E A C F F U A E A D H K B A
X X T H R D T V D C A I E A I
D O A E E L A A L C L N J D A
B K N L N O L H O A G G I R W
D C Q N C G L O G A M A L A K
H J P N H N A R D N E N P C S
```

ATAN	GREEN FRENCH	PINK FRENCH
BLUE JAVA	GROS MICHEL	PLU
CARDABA	KALAMAGOL	POME
CHINGAN	LADY FINGER	POPOULU
DWARF RED	LATUNDAN	RED DACCA
GOLDEN BEAUTY	MYSORE	SINWOBOGI
GOLDFINGER	NENDRAN	TIGER

178 German Sausages

```
Q N N P K R E W E K C E W K S
A K E P P B T S S L T P O E E
L N G P G I K E I A A F L T R
J A A V P A N V E N T S L W E
T C M R T S E K H W U T W U N
S K U M A R T A E R U P U R E
R W A C W O S X V L U R R S C
U U S U C U R R Y W U R S T E
W R R T S R U W L H O K T T R
T S T A D T W U R S T B Y E B
T T F A E T S R U W A R T X E
E A K N A Z S A K T Y V Q L D
M T Z B B B I E R W U R S T P
T G L U T G E L B W U R S T U
R H J A G D W U R S T K S R S
```

BIERWURST	KETWURST	PINKEL
CURRYWURST	KNACKWURST	SAUMAGEN
DEBRECENER	KNIPP	STADTWURST
EXTRAWURST	KOHLWURST	TEEWURST
GELBWURST	LIVERWURST	WECKEWERK
JAGDWURST	METTWURST	WEISSWURST
KASZANKA	PANHAS	WOLLWURST

179 Waterways

```
M E U S E R I V E R P U R E A
U T S C H E L D T R I V E R L
R G U L F O F S U E Z I V E X
R R H W R R F L R V G U I V Q
A I P A S E B A E I R C R I T
Y O A A A V L K V R E A W R M
R D R L B I A E I A A S O E A
I E A R C R C S R I T P L Z N
V L N I D T K U N V B I L T I
E A A V A I S P O I E A E G L
R P R E N O E E D D L N Y N A
H L I R U R A R K L T S Z A B
I A V E B T Z I P A D E Y Y A
N T E A E E I O H V L A E I Y
E A R L S D E R I E C A N A L
```

BLACK SEA	GULF OF SUEZ	RHINE
CASPIAN SEA	LAKE ST. CLAIR	RIO DE LA PLATA
DANUBE	LAKE SUPERIOR	SCHELDT RIVER
DETROIT RIVER	MANILA BAY	VALDIVIA RIVER
DON RIVER	MEUSE RIVER	WAAL RIVER
ERIE CANAL	MURRAY RIVER	YANGTZE RIVER
GREAT BELT	PARANA RIVER	YELLOW RIVER

180 Dolly Parton Albums

```
H K Y A D R E T T E B A T R E
U B A J O S H U A S W R H I N
N U R A I N B O W I O E E S O
G B R I P G L Y I O R K B K T
R B B C D R E N A N R A A L S
Y L L O D E V I L L A E R A E
A I U L T A O E L U P R G T N
G N E L R T L V I F S B A T I
A G S E E E L E C Y E T I H H
I O M C A S A I A O L R N G R
N V O T S T E L N J T A S I C
J E K I U H R E D M T E T A N
D R E O R I D B O T I H O R A
Q S J N E T Z I E P L N R T A
F H I S S S S J O L E N E S N
```

A REAL LIVE DOLLY
ALL I CAN DO
BETTER DAY
BLUE SMOKE
BUBBLING OVER
COLLECTIONS
GREATEST HITS

HEARTBREAKER
HUNGRY AGAIN
I BELIEVE IN YOU
JOLENE
JOSHUA
JOYFUL NOISE
LITTLE SPARROW

MINE
RAINBOW
REAL LOVE
RHINESTONE
STRAIGHT TALK
THE BARGAIN STORE
TREASURES

181 Inventors

```
G W X F L E M I N G S R P K S
R N T B N A G V F V N T O S X
I N I V N D H C R E H T E O N
V N A T E U Z T T E G D O L B
E F R A N K L I N L T O T M I
S O S O A A U X S E L L N U T
U P U N R C B F U D S T O K Q
O R D U H M A C I N T O S H Y
H O B U C R B L S E I T R I Z
I Q T B O U B L L M B I E N I
J I Q X C R A F E S B R D A U
J L I E O M G B C N A E L P H
Q Y L W A S E C B D B N A G G
T P N R S A T A C E V E A A S
Q F R O C V A M Q X A B U R V
```

ABBE	BENERITO	LAMARR
ALDERSON	BLODGETT	LUN
ANDO	BROWN	MACINTOSH
APGAR	CELSIUS	MENDELEEV
BABBAGE	COCHRANE	MUKHINA
BABBIT	FLEMING	NOETHER
BANTING	FRANKLIN	ROSENTHAL

182 Inventions

```
R R K A L E I D O S C O P E H
E T E T F A R C R E V O H O S
D R B L A W N M O W E R Y R T
I P U H I N S U L I N L R C E
L F N T A P W A O N I S O L R
G U S A C E E Q Y G W N M E E
G E E W R I B N H M T A E V O
N L N G A P T I A R X M D G
A C B O N T B N C C P B H Y R
H E U Z H U E T O H I A S N A
K L R Q L P L R S I C L A A P
R L N B M E E N B N T I L M H
A A E J N C E L O E L O F I E
T V R S U D U M E R D W M T N
R A L V E K R X P T I N S E E
```

BUNSEN BURNER	HOVERCRAFT	MOTION PICTURE
CONTACT LENS	INSULIN	PENICILLIN
DYNAMITE	IRON LUNG	SEWING MACHINE
FLASH MEMORY	KALEIDOSCOPE	STEREO
FUEL CELL	KEVLAR	TELEPHONE
GRAPHENE	LAWNMOWER	VELCRO
HANG GLIDER	LIGHT BULB	WATERBED

183 Dystopian Literature

```
A E N O R E Y A L P Y D A E R
H F Z T R L Y T O A T G Q L I
A V E H R A E D R S N P D P R
T D B E R Y T I D E A O R Z H
Q Y L M D O A V O N R R I P E
H X I A A R M E F I E Y B C L
L A N Z D E K R T G D X G E I
M R D E N L C G H N R A N L O
E O F R A T E E E I N I C P
H L A U T T H N F L S D K R O
T E I N S A C T L A I C C I L
N H T N E B L U I T N R O C I
A T H E H U N G E R G A M E S
L A I R T E H T S O U K P H P
P R S H A T T E R M E E F T L
```

ANTHEM	LORD OF THE FLIES	SHATTER ME
BATTLE ROYALE	MOCKINGBIRD	THE CIRCLE
BLIND FAITH	MORTAL ENGINES	THE HUNGER GAMES
CHECKMATE	ORYX AND CRAKE	THE LORAX
DIVERGENT	RANT	THE MAZE RUNNER
FEED	READY PLAYER ONE	THE STAND
HELIOPOLIS	RED RISING	THE TRIAL

184 'K' Words

```
K I S S J A U O A N T F A Z E
F C F W V Y E N D I K O D F N
V R I J R V S T L R S X A I B
M N V K N E E L O T D R P H K
E T S A I I J P V A M A Y Q Y
W L E R T S E K A S P E E K A
U Q T A A J I I P N F N K N Q
A Q Y T R N W T R T Y N P O K
T Y L E E K T T Y R O T D W A
L A E T K K G E T C L N E L T
K B I T H G I N K U U S K E E
F C Q T X O J P I R A U T D U
F S E Y A A K I N D L I N G O
R A J O A P P F G N K T O E U
T D U E S P U K H R M F N S P
```

KARATE

KEEL

KEEPSAKE

KERATIN

KESTREL

KETTLE

KEYPAD

KICK

KIDNEY

KINDLING

KINETIC

KING

KISS

KITE

KITTEN

KNEAD

KNEEL

KNIGHT

KNOCK

KNOT

KNOWLEDGE

185 Multiple French Open Champions

```
D Y L T T D A S C H A R T S A
N W A R H R B A B Y A R S R S
P I L E Z T B T O R I I F C U
C M N V T O V U S O Y W U K T
G O B E R T P Q M A I E P S K
I S T G H V T F U L O O L U E
L J R G R A F P L L D N E L K
L D U E G C D S P H E R M P E
O A O R L H B I A G T S I I A
U L C M L E N G L E N A D A L
G K S O N R T U N O S S A M Q
G A X T S O Z C O C H E T Q G
R H M A T T H E Y P R T L R O
U W A E P F E D W T A K E E F
F R E D N A L I W V H T U T S
```

BORG	GOBERT	MASSON
COCHET	GRAF	MATTHEY
COURT	HENIN	NADAL
DECUGIS	KUERTEN	SELES
EVERT	LACOSTE	VACHEROT
GERMOT	LENDL	WILANDER
GILLOU	LENGLEN	WILLS

186 Biographical Films

```
T A L I Z Z I E C Y R S M P D
T S L F O R D V F E R R A R I
C H E R N O B Y L V S A S R C
A T H E G L O R I A S V T T K
P N S T T H G H M R M H A P I
O J B E H A U E R W E R R T N
N A M I E M R X N T I J D R S
E K O R A I T I W I T R U H O
C X B R C L M O Y O U Q S D N
I I L A T T P A V W I S T G Y
V Z L H K O O B N E E R G Q A
A E E W P N P L T K X F I P A
R A B E A U T I F U L B O Y M
H S S U E E S Y E H T N E H W
L H O Z R X P R E Z I Q O A G
```

BEAUTIFUL BOY	GREEN BOOK	STARDUST
BOMBSHELL	HAMILTON	THE ACT
CAPONE	HARRIET	THE GLORIAS
CHERNOBYL	JUDY	THE TWO POPES
DICKINSON	LIZZIE	TOVE
FORD V. FERRARI	MANK	VICE
GENIUS	MRS. AMERICA	WHEN THEY SEE US

187 Cell Types

```
O J K S S F W E O X Y P H I L
L I T R R P V L V U E N C T A
E G U C S R T A A S H R E S I
E C L Y U K B S M U R V O A L
H Q C A R D I A C M U S C L E
W R S Y N L D B S X X H B H
T I I E T D M E R K E L P O T
R A N I C A O R T N E C T T I
A H N X L A D F P A L T Q N P
C R E P H A L B M U I U R O E
I E R W L T X P B O K R S D M
I T H A R R E Q E T L A T O Z
A U A C E M E N T O B L A S T
H O I T S A M S A L P H A L X
S B R E W E A W Q P C L M K T
```

ALPHA	CENTROACINAR	ODONTOBLAST
BASAL	CLUB	OUTER HAIR
BASKET	EPITHELIAL	OXYPHIL
BETA	GLAND OF MOLL	PANETH
CARDIAC MUSCLE	INNER HAIR	PLACE
CARTWHEEL	MAST	PLASMA
CEMENTOBLAST	MERKEL	STRIATED DUCT

188 Social Networking Services

```
A M U R P S P Q E P X P T G M
S Y I V T R U P A I U S D R A
U S E K T O V N S T I D D E R
F P G B R Z E K B H Z E D G E
L A T A H C P A N S T A R G A
I C C D U O L C D N U O S O A
C E G E C R U N C H Y R O L L
K L O V B F I S T E A M A B J
R I O I A O T S E R E T N I P
L N D A U W O R D P R E S S T
J K R N B S K K S E A M R I K
G E E T U M B L R S I R K M S
L D A A T B U L D A P T T A W
Z I D R O C S I D R O V U Y T
I N S T A G R A M K S U W S K
```

BLOGGER	HOUSEPARTY	SNAPCHAT
CRUNCHYROLL	INSTAGRAM	SOUNDCLOUD
DEVIANTART	LINKEDIN	STEAM
DISCORD	MYSPACE	TIKTOK
FACEBOOK	PINTEREST	TUMBLR
FLICKR	QUORA	WATTPAD
GOODREADS	REDDIT	WORDPRESS

189 On the Golf Course

```
O X T X C I T O H O D X P E S
K G B R P P O G S R R R J E T
F R P X G K U H Z B R P R E R
A A E A N O A B T E R O E X O
U U I T R Z H O L E A I K B K
M H H R A I N C L I N E N C E
E X I R W V F L A G C S U P W
P Z D Z U A I Y G E I P B Z R
Y R B U L C Y R T N U O C T S
T L A T S A O C P L E S I K C
S D N B R U H N I P A E E L I
K K A T N C X N I N T N R Y D
W I N D O G K O D N Q L E G R
F Q L V D S I S A O M A P P E
W L L C O U S X O L J V E S R
```

BUNKER	HAZARD	PRIVATE
COASTAL	HOLE	PUBLIC
COUNTRY CLUB	INCLINE	ROUGH
CUP	LINKS	SAND
FAIRWAY	PAR	STROKE
FLAG	PENALTY	TEEING GROUND
GREEN	PIN	WIND

190 Animals Featured on Flags

```
R O V A U L L L D T E S K K E
A M L F B G A R E A S M C P N
A P H T L P W R N O T O J P A
D O L P H I N Q R R C P F S R
E D K H R H P T S A R O A E C
A R R A U G A J E E X R L T X
D A J Q S B R P S F A K P I F
E P T U L E S A E R A L T G L
V O D A S N W B I I U R O E O
P E Q R O R A L O B S T E R W
E L O I S H N A N T E L O P E
E H L P E N G U I N M S G O R
H P S H R Y T W H A L E U K S
S K B S K C D O V E U U R P R
E E O M Q A R X X G O D T Z A
```

ALBATROSS	FOX	PENGUIN
ANTELOPE	HORSE	SEAL
CRANE	JAGUAR	SHEEP
DOG	LEOPARD	SWAN
DOLPHIN	LION	TIGER
DOVE	LOBSTER	WHALE
ELK	PEACOCK	WOLF

191 Born in 1990

```
W O S T J B B F V V F L S O V
X B C U V E L G N O S T A W F
E R A O V E H N E S L R A C T
R O S L L A B T I P E A V J A
G D A O H F R U R I T W M P T
S I J U I U E O R O F E U T I
L E E B K Q B R M N W T H H A
M S C S C B A T A B H S A E E
T A N V I H V F U Q R A M W F
S N E E N O T S G N I K M E S
L G R L P E U A E L A Z A E H
E S W N I T S U G T G E D K R
T T A Y L O R J O H N S O N H
A E L D M L R A H Y L A N D P
P R I N C E S S E U G E N I E
```

AZALEA	HEMSWORTH	PATEL
BRODIE-SANGSTER	HYLAND	PRINCESS EUGENIE
BURNHAM	KINGSTON	ROBBIE
CARLSEN	LAWRENCE	STEWART
COLFER	LIPNICKI	TAYLOR-JOHNSON
GUSTIN	MUHAMMAD	THE WEEKND
HARRIER	ORA	WATSON

192 Beekeeping

```
U G B W S M O K E R E J W N A
X G I E N Z X H E J N R Y A S
K E L I E V I H B M O C L I R
U Z L A S P I H L Y R N L E A
A T A A G U O I A C D O H O T
R H O E S N G L W A P I A R Y
F E A S E C J A L O V T I S N
U C Y Y T E Q I R E M C P A O
A U R B L I B P F W N A K J L
L S N L D R N R Q G A R Q U O
T M Y U R L A G E U X T R M C
T Z Z L R M X T A K E X E E Q
G L O V E S S S C R R E C R N
L X F E X A W S E E B O N R W
S T A C K A B L E K N O W R R
```

APIARY	GLOVES	SALE
BEE POLLEN	HIVE FRAME	SMOKER
BEESWAX	HONEY	STACKABLE
COLONY	NECTAR	STING
COMB HIVE	PROPOLIS	SUGAR WATER
DRONE	QUEEN	VEIL
EXTRACTION	ROYAL JELLY	WORKER BEE

193 Tattooing

```
P N N S D I K C B X Z J H T P
R C S L P V N O I H J J Q U E
G H K O I O D S A I L O R A H
A T I O C Y Y M E S P I A E J
O S N H T R R E I P I E N X S
I D E C O R A T I V E N P K S
R R W S R R R I H R A I I Y D
E B S D I U O C S T G H S P I
D Q C L A F P Y L M F C T L I
T I H O L X M D E X R A I S S
O C O N J B E N E L X M S U Y
A S O E O C T H V R D R S R X
W O L L A W S E E E M E U P Z
G N I L A E H Z H M R I E T X
R C K O K S O M Q E N F S N W
```

BODY	INK	SAILOR
COSMETIC	MACHINE	SKIN
DECAL	NEEDLE	SLEEVE
DECORATIVE	NEW SCHOOL	SWALLOW
DERMIS	OLD SCHOOL	SYMBOLIC
HEALING	PICTORIAL	TEMPORARY
HENNA	PIGMENT	TISSUE

194 Fashion Accessories

```
O W A A Q X M O N E Y C L I P
A T S S U N G L A S S E S K R
L N P A C L L A B E S A B F O
L A H A N D K E R C H I E F U
E F P Y T A M F U H A A E A J
R D I E S A S H T E T S I S I
B N L G L X C A D H R N H E C
M A K A H P T I E U I Y C A P
U H R S E C I R P N L G N O X
U A O R A R B N A I W E U U T
N N M O S O I E R P P H R U B
D D U C A O L T D E L W C Y G
T B N L C U F F L I N K S V I
T A R M B A N D U T E L L A W
Y G S L D R N A D P O B T U S
```

ARMBAND

BASEBALL CAP

CANE

COIN PURSE

CORSAGE

CUFFLINK

DRAPED TURBAN

FEATHER BOA

HAIRNET

HAND FAN

HANDBAG

HANDKERCHIEF

LAPEL PIN

MONEY CLIP

SASH

SCRUNCHIE

SUNGLASSES

TIE PIN

UMBRELLA

WALLET

WIG

195 Omnivores

```
U C H I M P A N Z E E T P L Y
E E E R K A K C H Y C I V E T
R A D J B N N A T U G N A R O
S A G Q A E U E I R U W O R C
S B E G D K M K D O N D S I J
L N H B G C P Q S W E L C U K
D E O R E I I T O U O Y A Q S
Z S G O R H H L P T P L T S L
E Z N A C C C R H U O Z F X T
O J N P Q C T L U B S A I R T
R H E A U E A G M C S R S L S
A L W A B F P R A T U U H Z U
L W S A B Z G Y N J M O U S E
B V E W T S P K H P U Q A M E
U X B M U T M J P I O J L S S
```

BADGER	CROW	PIG
BEAR	HEDGEHOG	PIRANHA
CATFISH	HUMAN	RACCOON
CHICKEN	MANED WOLF	RAT
CHIMPANZEE	MOUSE	SKUNK
CHIPMUNK	OPOSSUM	SLOTH
CIVET	ORANGUTAN	SQUIRREL

196 Natural Satellites

```
L O U E F N A T I T H S C Q P
B T R I T O N E T E R S N D J
N E R G B R T T G A R I Z I K
E T E A R E H E G M U J I O A
O H U N R B M E B C Y Y R N H
Y Y S Y C O C H A R O N G E D
I S A M N E R L E I R B M U H
U U D E M K L J S S Y Q R R W
A R E D H I I A K O M N C O J
X T I E S T M A D I I L R P R
I J M T S O L A R U A B E A J
E R O S R E B A S Z S A R T L
K X S Y P K N O M H L W F R J
E S P O N D E N H A N K Z B S
L E I R A O K T U P P S M R M
```

AMALTHEA	EUROPA	PHOBOS
ARIEL	GANYMEDE	RHEA
CALLISTO	HEGEMONE	SPONDE
CHARON	KALE	TETHYS
DEIMOS	MIMAS	TITAN
DIONE	MIRANDA	TRITON
ENCELADUS	OBERON	UMBRIEL

197 Shoe Styles

```
T A A H S L I P P E R R G O O
O U R A E N I P O H C P E Z R
O P I N G A O W I C L M L L U
B P S C S T N T N A D Q L S S
N J R L E E H O T T E L I T S
O E E E L E B F E O S E R O I
T O F L R N O E S O E E D O A
G H A U L R A I H B R H A B N
N S O M M Y T U O A T N P G B
I D L S C V S D E E B E S N O
L R H A D L H H Y S O T E I O
L O S S D K O E O L O T F D T
E F Q M S N E G S E T I N I W
W X R O I F A F A H S K S R T
L O A O D N I S A C C O M O M
```

BOAT SHOE	KITTEN HEEL	POINTE SHOE
CHELSEA BOOT	LOAFERS	RIDING BOOTS
CHOPINE	MOCCASIN	RUSSIAN BOOT
CLOG	MULE	SANDAL
DESERT BOOT	OPINGA	SLIPPER
ESPADRILLE	OXFORD SHOE	STILETTO HEEL
JELLY SHOES	PLATFORM SHOE	WELLINGTON BOOT

198 Largest Cities

```
R I V T U O H Z G N A U G V S
H S D L M R Y S C L A F F A R
C T E T E I S P H O Y K O T U
Z A M R X E E M O S D N A R W
A N I T I N I J N A I T A H T
X B A R C A Y S G N H G O T D
E U S C O J S F Q G L N A I L
Y L A K C E T O I E E I L B S
D O H A I D J A N L D J I X E
P W S R T O E B G E M I N N M
Y I N A Y I S E R S U E A U R
Y T I C K R O Y W E N B M A O
S A K H Z A G A W I S B Y O A
C U S I S H A N G H A I Q B J
S G T P W R L B H I I Y U A G
```

BEIJING	ISTANBUL	MUMBAI
BUENOS AIRES	KARACHI	NEW YORK CITY
CAIRO	KINSHASA	OSAKA
CHONGQING	LAGOS	RIO DE JANEIRO
DELHI	LOS ANGELES	SHANGHAI
DHAKA	MANILA	TIANJIN
GUANGZHOU	MEXICO CITY	TOKYO

199 Animals of Australia

```
H G O L D E N P E R C H N A B
G B W L H S I F L E G N A I H
O R A L J B L M M D W K O H U
Z O U O N N W T U K T R S A M
I W F U Q O M H R A C A U N P
X N I Q T M L O R N D H P Y B
I R E D I L G R A G U S Y M A
R A R E U A B N Y A G M T N C
L T C T W S T B C R O E A A K
S F E T O A U I O O N I L I W
V P S O I K L L D O G U P D H
L L N P U O F L T I N Q R N A
R T A S M A N I A N D E V I L
V N K G R L X I B B O R R L E
H L E E Y A R O M R Y U T W Z
```

ANGELFISH

BROWN RAT

DUGONG

FIERCE SNAKE

GOLDEN PERCH

HUMPBACK WHALE

INDIAN MYNAH

KOALA

MORAY EEL

MURRAY COD

PLATYPUS

RED KANGAROO

REQUIEM SHARK

SALMON

SPOTTED QUOLL

SUGAR GLIDER

TAIPAN

TASMANIAN DEVIL

THORNBILL

WALLABY

WREN

200 Individual Sports

```
G N I X O B U H M M E U L O G
E F I S G R T R I A T H L O N
O E A A N H R S B R S T A D I
G N I D I L G G N A H E B N M
Q C V K F T R O P S R O T O M
S I D A R T S T X P D Z N W I
K N U Y U H A M U Y M J I K W
I G A A S O P O B P R U A E S
I C S K Y L P U N M T D P A W
N G N I T F I L R E W O P T S
G N I N I L O P M A R T H S Z
F U E G D A J P U T D U O S I
M M S I N A I R T S E U Q E S
K G N I L W O B T A V U A H P
K G Y M N A S T I C S T T C U
```

BODYBUILDING

BOWLING

BOXING

CHESS

DARTS

EQUESTRIANISM

FENCING

GYMNASTICS

HANG-GLIDING

JUDO

KAYAKING

MOTORSPORT

PAINTBALL

POWERLIFTING

SHOT PUT

SKIING

SURFING

SWIMMING

TAEKWONDO

TRAMPOLINING

TRIATHLON

201 The Muppets

```
K M I S S P I G G Y W R R Z E
L T O W A P Q I N A T A K V N
T T L E M O E E L G A E M A S
R Y X D A U H T T E R B P R E
O P E I N Z E R D M E E S I M
W S M S D R E E I A H I B E B
L W M H F S T T T F T Z E T L
F S Y C R V T O R F O Z A Y E
T F A H I H E O P O Z O K R R
H O W E E C N C U K Z F E Y H
E Z A F N T O S P L I E R X A
D N R R D E I M P A R O T N B
O O D R S K R L E W O K A Z C
G G S E R S A O T D T H A S Y
N O S N E H M I J W Y O P C T
```

BEAKER	KERMIT THE FROG	SAM EAGLE
COMEDY	MARIONETTE	SCOOTER
EMMY AWARDS	MISS PIGGY	SKETCH
ENSEMBLE	PUPPET	SWEDISH CHEF
FOZZIE BEAR	RIZZO THE RAT	VARIETY
GONZO	ROWLF THE DOG	WALK OF FAME
JIM HENSON	SAM AND FRIENDS	WALTER

202 Woodworking

```
V Y D H U C B M C R M A W A G
M D O C R H T Y R E N I O J U
P R R R P I N E A Q O J O C T
G R D I Q S O F T W O O D A H
P A O B L E C A R P E N T R Y
B L O D T L B E P C O H U V R
B P W D U L S L D R F I R I R
H R D A E C Y S P A R R N N E
E G R S Y W T M Q F R B I G H
A M A H O G A N Y T A I N R C
M W H O P L E P C G E U G A K
A M D X C P D Y O A O S C I C
V I S E M X E E U E D T W N E
G T E O O S H O S R G Q X A E
I U V C S L R T T C Q Z F O A
```

ASH	CLAMP	MAHOGANY
BIRCH	CRAFT	PINE
CARPENTRY	DRILL	PLYWOOD
CARVING	FIR	PRODUCT
CEDAR	GRAIN	SOFTWOOD
CHERRY	HARDWOOD	TABLE SAW
CHISEL	JOINERY	WOODTURNING

203 Gardening

```
V R F L O W E R A H X H G P A
N B R R R T S O P M O C B T O
Y U N E T O R N A M E N T R R
S R R D S F L S N T X O E T C
T I O D E D O T H U U D H L H
O L L A A D I U S E E D J E A
I N D L E Z E O N E T A L A R
S S D E E W L E F T V B E R D
C W A T E R I N G C A N U D Y
I O S S O Z T T L T W I S E A
N U F P M A O T E A H E N S T
A T Z S A Z V G L E N W K I R
G E T O E D E F D I V P D G E
R C S I R V E G V J H R I N E
O C I L M S E D Q E P F V B S
```

COMPOST	LADDER	SPADE
DESIGN	LAWN	TREES
FEEDER	ORCHARD	TRELLIS
FLOWER	ORGANIC	VEGETABLE
FOUNTAIN	ORNAMENT	VINES
HEDGE	SEED	WATERING CAN
HOE	SOIL	WEEDS

204 English Words of Dutch Origin

```
Q L L E R K O L M D U P K S I
L I E O T F M S A X J N V V R
P L S I I E W L E C R Q A C I
W T A K R E E M O R L Q A I B
T I E N U D T X O U T E V J T
Q I F M D A Q E W I E E K V X
K C A U Q S U T P S K T L F L
R G E B R I C E B E R G C E J
T T S U A L C A T N A S N R A
K H C T E M O E P A V H A R K
R C G U L P B U E E D L U S P
I A U I D F L O G T R U Z F V
I Y T R E T S L O H A C J J N
E U V C A R F O O L A K L F Z
R D U K T D F F U L B N S I I
```

AARDVARK	ETCH	LUCK
ALOOF	FREIGHT	MEERKAT
BAMBOO	FURLOUGH	PLUG
BLUFF	GOLF	QUACK
CRUISE	HOLSTER	SANTA CLAUS
DUNE	ICEBERG	SKATE
EASEL	LANDSCAPE	YACHT

205 Basketball

```
U T S A S H O T R S R R T A R
R P R H T T D T P K I X T L I
Y R O D P S A N I M A T S Z J
R O V E R H E A D P A S S S X
T U O S O A C P F R E Y A L P
D T G R F D U T M B C H P N R
J L S S E N D G A O B A T C U
E E A Y S U A C T U G L S B E
R T Y G S O K M T N N F E N L
R P R E I B I B R C I C H F B
M A E T O E T A P E K O C R B
C S A A N R I S B P C U P M I
A S R R A I J K W A O R A J R
K D Y T L A N E P S L T E M D
N A U S Y H Q T Y S B L A Q J
```

BACKBOARD	HALF-COURT	REBOUND
BALL	OUTLET PASS	RIM
BASKET	OVERHEAD PASS	SHOOT
BLOCKING	PENALTY	SHOT
BOUNCE PASS	PLAYER	STAMINA
CHEST PASS	POINT GUARD	STRATEGY
DRIBBLE	PROFESSIONAL	TEAM

206 Films featuring Space Stations

```
S E I D D U B E C A P S T T U
E E M A G S R E D N E O R C J
A U Q I D P E J A W A H A A H
S N E I L A O W G R A V I T Y
F V I R U S S I R A L O S N Y
M I S S I O N T O M A R S O L
A N D R O I D E R A A E S C R
R Y I I H T R A E A S F U T E
O R R A L L E T S R E T N I K
O I R C Z N O D D E G A M R A
N O Z I R O H T N E V E V E R
E L Y S I U M E J S L G H K N
D F I E P R E D P L A N E T O
T U I S I O W N O I V I L B O
P T N L Z K E I L A H Z G X M
```

AD ASTRA	ENDER'S GAME	MOONRAKER
ALIENS	EVENT HORIZON	OBLIVION
ANDROID	GRAVITY	RED PLANET
ARMAGEDDON	INTERSTELLAR	SOLARIS
CONTACT	LIFE	SPACE BUDDIES
EARTH II	MAROONED	THE GREEN SLIME
ELYSIUM	MISSION TO MARS	VIRUS

207 Tallest Mountains in the Solar System

```
A R S I A M O N S H A D L E Y
S N O M S I N O V A P Q U A E
N Q W T C D E N A L I B O L L
O M C A L O R I S M O N T E S
M O U N T E V E R E S T R D B
S N O M A N U H A U J I R I S
U S D S N O M M U I S Y L E N
E H G F S N O M T A A M R T O
A U A L S N O M I D A K S L M
R Y M I T H R I M M O N T E S
C G A E K A N U A M A P A D I
S E S N O M S U P M Y L O O L
A N E H A L E A K A L A J C O
A S N O M S I R E S N A J I E
L Y L P P M A U N A L O A P A
```

AEOLIS MONS	ELYSIUM MONS	MONS HADLEY
AHUNA MONS	EUBOEA MONTES	MONS HUYGENS
ANSERIS MONS	HALEAKALA	MOUNT EVEREST
ARSIA MONS	MAAT MONS	OLYMPUS MONS
ASCRAEUS MONS	MAUNA KEA	PAVONIS MONS
CALORIS MONTES	MAUNA LOA	PICO DEL TEIDE
DENALI	MITHRIM MONTES	SKADI MONS

208 Animals of Africa

```
Q E J T G R D R I B N U S W T
I R X W W G D L A B M A N O W
Z E E Z N A P M I H C W I S Z
T O N C A P E H A R E T L D B
G O L I A T H B E E T L E I T
G O R I L L A D I T Z S C L B
E C H T P B S M S A E D R H V
C T Y N O C H C I R T S O C L
K G E O A I F G T E W U C I P
O E N R R I S L S L S X O C U
N R A E M D O E T O F N D P D
Y B I P P C A O O M R U I Y G
R I A P U E N A R C E U L B E
U L R S M U D S K I P P E R R
A O T S R O X T N O X W Y J Q
```

BABOON

BLUE CRANE

CAPE HARE

CHIMPANZEE

CICHLIDS

DESERT LOCUST

GECKO

GERBIL

GOLIATH BEETLE

GORILLA

HYENA

IMPALA

LION

MOLE RAT

MUDSKIPPER

NILE CROCODILE

OSTRICH

SACRED SCARAB

STORK

SUNBIRD

TORTOISE

209 Songs Recorded by Blondie

```
E A A L Z H U L K H S Y S S O
R S I N T H E F L E S H L I U
A T R A P T S E D R A H E H T
I H Q L A X T U U O L U Y T S
R E H T O M E L A E G F R E A
A T D E I N U B T S F L E R S
M I S E W Y G Y O B O U D U Y
Z D G R C A N T M T T G N T O
U E O U A W R I I O R D E C B
M I U T L E K C C M A S F I D
W S L P L C H N H Y E I F P O
J H Z A M N R O G I H N O Y O
T I D R E A M I N G L E X B G
M G L M O D R N F B G D O L V
J H T Q T L N U L S D M E Z I
```

ATOMIC	HEART OF GLASS	RAPTURE
CALL ME	HEROES	SUNDAY GIRL
DANCEWAY	IN THE FLESH	THE HARDEST PART
DENIS	LONG TIME	THE TIDE IS HIGH
DREAMING	MARIA	UNION CITY BLUE
FUN	MOTHER	WAR CHILD
GOOD BOYS	PICTURE THIS	X OFFENDER

210 Daft Punk

```
W E I S R K N R Q R N R U A A
Q H S D R A W A Y M M A R G A
T I U T P R E T L A G N A B H
K I Q M U O E P I L O G U E O
A X L R A U X K T F I E R R M
H S T P O N E M O R E T I M E
U O O J S D A X O B K L A T M
E J U P U T I F T S N U Q E C
H S J S Z H O S T H U C W C H
C Z S A E E K L C E F K N H R
N H O M E W O R K O R Y U N I
E J T M Y O P C F U V A D O S
R E G N O R T S L Q X E L U T
F E V O L L A T I G I D R L O
A T A R L D S S T A R B O Y O
```

AROUND THE WORLD	FUNK	ONE MORE TIME
BANGALTER	GET LUCKY	SPLIT
DIGITAL LOVE	GRAMMY AWARDS	STARBOY
DISCOVERY	HOMEM-CHRISTO	STRONGER
DUO	HOMEWORK	TALK BOX
EPILOGUE	HOUSE	TECHNO
FRENCH	HUMAN AFTER ALL	YEEZUS

211 Pseudonyms in Fiction

```
V S M O T H E S H A D O W Z N
A M S L A V O L P E Y G D J H
S A U L G O O D M A N R L E Y
N D M Z O R R O L Y Q O I F R
P A A R Y R S E K P R S U F B
O N N H U T D Z K D E G U D P
R E U G H N A T V N K R X U R
T K Y E A L D O B H C C R K A
H D N V U T L E Z R O Q B E H
O E T C D D R Q R R L S R S S
S R A S E G S A T H O S F I N
A R A M I S T P D P I G Z L A
D O O W T S A E T N I L C V L
E R V S C H U C K F I N L E Y
T D L E R V S A T S L X E R D
```

ALUCARD	DEMOSTHENES	LOCKE
ARAMIS	DUKE SILVER	LORD VOLDEMORT
ART VANDELAY	DYLAN SHARP	MR. UNDERHILL
ATHOS	HEISENBERG	PORTHOS
CHUCK FINLEY	JEFF	SAUL GOODMAN
CLINT EASTWOOD	KEN ADAMS	THE SHADOW
D'ARTAGNAN	LA VOLPE	ZORRO

212 Pseudonyms in the Visual Arts

```
S J T K S S N I R U B R O Y R
C O L M R D C W C A R M F B R
A M E E F L O L L E T A N O D
I I A Z E D T T Y N F N X F X
U F H S Q K H O D O J R P H O
R R P Z A U R P D O F A O L T
U K A W S C T A A W T Y E G F
R U R R P I C A S S O D V E S
O P A R M I G I A N I N O Z Y
C O L D M I R R O R E T B T E
E P U G O K H T O R K R A M A
R A L T J G R T I T I A N M M
G S A M O S T A L I U B K E Y
L Z Y P S X A E S A I I S M L
E S X O P A T O Y K Y S Y R C
```

ABOVE	ICEFROG	PICASSO
BALTHUS	KAWS	RAPHAEL
BANKSY	LEE KRASNER	SAMO
COLDMIRROR	MAN RAY	SPY
DONATELLO	MARK ROTHKO	SWOON
DOT DOT DOT	MASACCIO	TITIAN
EL GRECO	PARMIGIANINO	ULAY

213 Tall Church Buildings

```
I K A I S E R D O M T O R E N
S K H W T L N A J E G N A L L
E R M C W R E T S N I M M L U
D E H C R I K I D L O N I E R
I K H C R U H C E V I T O V E
L E H C R U H C S Y R A M T S
A T F Z W E O C S T O L A F T
V O K I A L O K I N T S Y H J
N R H C R U H C A R A L K D A
I G S T L A M B E R T I P L C
S T B A R T H O L O M E W D O
E H C R I K T K R A M P P X B
L K R E K I N I T R A M Y T I
R E T E P T S A E R D N A T S
V D I J O N C A T H E D R A L
```

DIJON CATHEDRAL	MARKTKIRCHE	ST. MARY'S CHURCH
DOMTOREN	MARTINIKERK	ST. NIKOLAI
GROTE KERK	REINOLDIKIRCHE	ST. OLAF
KAISERDOM	ST. ANDREAS	ST. PETER
KLARA CHURCH	ST. BARTHOLOMEW	ST. PETRI CHURCH
LANGE JAN	ST. JACOBI	ULM MINSTER
LES INVALIDES	ST. LAMBERTI	VOTIVE CHURCH

214 Rivers of Japan

```
L R O R O K O T E I B L G O M
F X C W E S A R U C Q R L T S
K S A A B A S H I R I I E B M
E C I O W A R L I H C E B A M
S H R E S A K A T E S H I O T
V I A M M A G A N O X U T J F
S T K Y I H C A K O T Y K Q K
I O I P D S H I R I B E T S U
T S H O K O T S U U U E P V J
G E S I W A K I R I Y S R V I
O H I E G M A N Q R I X J A G
U Y C A N X A O N G A G A W A
R Y W R T D S X Y O Q A T O W
S A E R G K A N A K A G A W A
T O E X T W R I Z R O T B I A
```

ABASHIRI	KUJI-GAWA	SHIRIBETSU
AGANO	KUSHIRO	SHOKOTSU
ARA	MABECHI	TAKASE
CHITOSE	NAKA-GAWA	TESHIO
ISHIKARI	ONGA-GAWA	TOKACHI
IWAKI	SARU	TOKORO
KITA-GAWA	SENDAI	YURA-GAWA

215 Judo

```
K L T P U C D I K H D O Z R R
H A M C E Q H R E T A K A T Q
P M J A P A N A O A A A D W R
B S R V R F N R N K U M T L S
M R A O A T A K E D O W N P H
Y C N E I C I F F E S A E V S
P R S K W Y D A T E R P N R P
J U J M C X A Q L J U D O G I
W D J I G O R O K A N O P R N
E F F O R T L A E C R U P V T
A S Y B L U A T N U P T O O Q
P Z S T R I K E N D L M I O Q
O C I H S U Z U K I O U S W R
N X L J C K T Q S W O R H T O
U P S I S O F E E T W J I A V
```

EFFICIENCY	JUDOGI	RANDORI
EFFORT	KAKE	SPORT
FEET	KATA	STRIKE
HANDS	KUZUSHI	TAKE DOWN
JAPAN	MARTIAL ART	THROW
JIGORO KANO	OPPONENT	TSUKURI
JOINT LOCK	PIN	WEAPON

216 Swords

```
T S N E K K O B K R Q O F B O
D X Z J C T K I H E P R A H D
J K A S K A R A M I S G Q J T
O A Z B L P P T A P U B I R Z
Z O D E A D U D N A W H T V U
A R L N Y T R T D R Q O Y J K
R I I I N A T A A A U U D A C
Z S B U A N O H U W J X L A F
O U M M B S I E G I S I L Y O
K P O H N E K N I H S Z J S R
P M Q I O H I G J C A T H O Y
P P A R W M G D Z A L O S I I
Y F F Y C V S A A H T J R P J
S T G H V S E N N E U O T L A
C T A K O B A G L V C B E T T
```

BAGUADAO

BANYAL

BOKKEN

CUTLASS

FALX

HACHIWARA

HARPE

HENGDANG

HWANDUDAEDO

IDA

KALIS

KASKARA

KIRPAN

MANDAU

NIMCHA

NINJATO

RAPIER

SHINKEN

SHOTEL

TAKOBA

WODAO

217 Greek Mythological Heroes

```
S E T U B O L L J K M F H S M
D U S H I R D V E I U D T F E
L U L X E R A Z J H T C N C N
M E S H B S S I I C C N I A E
I L U X E P E P G A E L C T L
I E S P N R P U O D U B A F A
P C U C N O A P S M I D Y C U
H T N R T J T C I U X B H D S
I R S H Y Y A O L S P I A I T
G Y O A P B L S R E L I L O O
E O E T T A D O L S H D M V
N N L M R D N R E N X Y R E C
I E S S S D T S U E S S Y D O
A R M T O I A T J S A E N E A
V T W I V I Y P E R S E U S N
```

ACHILLES	ELECTRYONE	LEOS
AENEAS	EURYBARUS	MENELAUS
ATALANTA	HERACLES	ODYSSEUS
BUTES	HIPPOTHOON	OEDIPUS
CADMUS	HYACINTH	PERSEUS
CERYX	IPHIGENIA	THESEUS
DIOMEDES	JASON	ZAREX

218 Capes

```
I V T U O K O O L T L B B S
R Z R G G S R L D A L A O T T
I N N E L B A S L A B L A N C
P A I R A G L A F A R T J O Q
C G K R N E V E O I W U J M T
P U S E J S I R R O M N S G Y
C L U T E C O M O R I N R E A
O H Y S H I R R E F F E B O M
Y A L I U F A D R A U G H I C
B S E N N I K D R O N R O A Q
U P H I L A U K O L K A Z Z A
J A C F S A P Z F K S I V F Z
Q W S X R G D Q S T K S P E Z
W T R I S Y Z L R T T W U P H
J T O T I O T M T T U M G M K
```

AGULHAS	EGMONT	MESURADO
BABA	FINISTERRE	MORRIS JESUP
BLANC	GUARDAFUI	NEGRAIS
BON	JUBY	NORDKINN
CHELYUSKIN	KOLKA	SABLE
COMORIN	LOOKOUT	SHIRREFF
CORNWALL	MAY	TRAFALGAR

219 Best-selling Video Game Franchises

```
R  Z  Y  O  H  O  A  O  G  O  Y  E  U  B  A
U  K  T  O  M  B  R  A  I  D  E  R  E  G  T
E  T  F  A  R  C  E  N  I  M  C  U  C  N  E
Q  R  B  Y  S  A  T  N  A  F  L  A  N  I  F
T  O  M  C  L  A  N  C  Y  S  V  E  A  S  A
N  O  M  S  I  R  U  T  N  A  R  G  D  S  M
G  R  A  N  D  T  H  E  F  T  A  U  T  O  O
N  E  E  D  F  O  R  S  P  E  E  D  S  R  U
M  T  K  H  N  T  E  T  R  I  S  U  U  C  Q
S  R  A  W  R  A  T  S  S  U  Y  S  J  L  L
A  L  K  S  M  I  S  E  H  T  O  I  R  A  M
O  L  I  V  E  T  N  E  D  I  S  E  R  M  I
T  S  E  U  Q  N  O  G  A  R  D  A  F  I  F
J  G  J  G  B  E  M  Y  R  Q  S  W  W  N  G
J  O  B  M  O  Y  T  U  D  F  O  L  L  A  C
```

ANIMAL CROSSING	HALO	RESIDENT EVIL
CALL OF DUTY	JUST DANCE	STAR WARS
DRAGON QUEST	LEGO	TETRIS
FIFA	MARIO	THE SIMS
FINAL FANTASY	MINECRAFT	TOM CLANCY'S
GRAN TURISMO	MONSTER HUNTER	TOMB RAIDER
GRAND THEFT AUTO	NEED FOR SPEED	WII

220 Spice Mixes

```
V K Q R N O R O H P H C N A P
R A H D P E R E B R E B D L E
E E D M I T M I T A I T M A W
R X D O E T F P A S W U R S D
J R U W U L A I W E L T A A K
L E U U O V I J A L L M T M G
O P R I T P A S I H B F A A I
S P L K M A Y N U A R P A K S
A E H U D I G R R N W A Z K X
N P P O I S H P R O E A K I P
E N B U P T O C R U S L H T E
R O T I J W G R I T C I I B X
A M C A D V I E H H I J C A C
H E S E A S O N E D S A L T T
S L R T G M M S E U N Y R R S
```

ADOBO

ADVIEH

BERBERE

CURRY POWDER

HAWAIJ

JERK

KARHA

KHMELI SUNELI

LEMON PEPPER

MITMITA

MULLING SPICES

PANCH PHORON

RAS EL HANOUT

SAMBAR POWDER

SEASONED SALT

SHARENA SOL

SHICHIMI

TIKKA MASALA

VADOUVAN

YAJI

ZA'ATAR

221 Hollywood Walk of Fame Stars

```
Y  E  E  O  R  A  N  G  O  U  N  C  K  T  A
F  C  D  O  R  A  R  T  A  N  I  S  E  N  A
S  R  E  Y  M  E  S  E  T  I  H  W  O  Q  I
Y  E  L  K  N  T  D  Q  L  O  U  S  S  T  N
N  U  C  R  T  C  R  Y  M  H  N  S  R  F  O
W  A  U  X  C  M  O  N  R  O  E  S  A  N  O
J  T  E  O  Y  P  S  K  R  T  M  O  E  G  P
O  H  Q  F  S  E  Y  E  L  S  E  R  P  K  S
A  P  G  I  B  J  H  L  I  N  O  D  S  R  R
H  M  L  G  J  T  N  L  A  L  A  N  C  S  E
L  O  O  F  P  E  L  Y  B  E  Z  A  E  T  H
T  T  P  O  Z  I  G  A  T  L  O  V  A  R  T
R  T  E  S  W  E  W  O  B  F  E  P  V  E  I
O  A  Z  K  G  L  T  A  G  E  G  D  F  E  W
R  O  N  L  W  A  K  U  R  T  V  S  E  P  K
```

JACKMAN	POEHLER	THERON
KELLY	PRESLEY	TRAVOLTA
LOPEZ	REEVES	TURNER
LOREN	RYDER	VANDROSS
MENUHIN	SINATRA	WHITE
MONROE	SPEARS	WILLIS
MYERS	STREEP	WITHERSPOON

222 UK Canals

```
Z M T R E T S N I M O E L L S
C A N R E T A W E G D I R B C
H C U O Z A L E D Y B H S A B
E C N Y I Z R E T S A C N A L
S L E A P T U M V A A D S R D
T E L L S C C J L R A I Z Q R
E S L M G R A N D U N I O N O
R F O I A T X Y U G T W X D F
F I G L N I K J S J J A W W X
I E N I D E T T N O D L A C O
E L A T O T O C O V E N T R Y
L D L A V K S M A H T N A R G
D Y L R E S H R E W S B U R Y
T N K Y R E M O G T N O M P G
Y R O C H D A L E D U B L N S
```

ANDOVER	CHESTERFIELD	LLANGOLLEN
ASHBY-DE-LA-ZOUCH	COVENTRY	MACCLESFIELD
BASINGSTOKE	GRAND JUNCTION	MONTGOMERY
BRIDGEWATER	GRAND UNION	OXFORD
BUDE	GRANTHAM	ROCHDALE
CALDON	LANCASTER	ROYAL MILITARY
CAR DYKE	LEOMINSTER	SHREWSBURY

223 National Animals

```
K I W I I R R D U G O N G G V
E T U H V V W K Q I H V U M D
V R Z A I F I O V R G A G W K
Q T T E R T E F L A A L Y N X
K D O L N A E N V F L Z R J T
P A R G A A B S N F L K F A Y
Q L O A P Z I I T E I C A G T
M M G E P N T D A O C L L U T
O T O Y S O I E A N R F C A L
O T Z P T I E B U D O K O R L
S Z Q R R L C L L Q O R N X J
E L G A E D L A B S S V Y L R
P Y U H A V W K P S T E E X B
M A L A Y A N T I G E R U O O
U G U A R D A B A R R A N C O
```

ARABIAN ORYX	GYRFALCON	MALAYAN TIGER
BALD EAGLE	HARPY EAGLE	MOOSE
DUGONG	JAGUAR	QUETZAL
FENNEC FOX	KIWI	TOROGOZ
GALLIC ROOSTER	LEOPARD	WHITE STORK
GIRAFFE	LION	WOLF
GUARDABARRANCO	LYNX	ZENAIDA DOVE

224 Opera Directors

```
S N O D I E R E P T J K R M Y
A S A T O A S U N W V X I W B
V A P L R W N W A I O W S A O
W C L U S E R Q U C V L M P X
Q S L R T L B Y J D F E R C W
A I O C D N K E Z T U R L A H
T L Y M R O R L A R M A R H B
B U D A A S I I M E R N N H H
A O F E H L H A B K E F M Z C
D A D L N I M B E R G H A U S
H S K D I W A L L M A N N U E
Y U P S E M A J L L U F C S B
I Y T T R K M A O N I R A U G
V L S T V R E N G A W Z X A U
A S A Q Y U A G R A A K I I C
```

ALDEN	COX	LLOYD
BAILEY	EBERT	REINHARDT
BARLOW	FLIMM	WAGNER
BERGHAUS	FULLJAMES	WALLMANN
BESCH	GUARINO	WARNER
BODDEKE	LAMOS	WILSON
CLARKE	LEVINE	ZAMBELLO

225 Properties

```
I X G I V G Z Z A D A O P V A
M N O I T U B I R T S I D A U
R U O Z W I R A D I A N C E V
F Y T I L I B U L O S T A R R
R D Y N T B P L X A B E V A E
E F T D E P P P O L E N G T H
Q L I U N M R S T C B S E E A
U U S C O H O O Y P A I F N Q
E I O T I E T M S T E T F S M
N D C A S Z R G E B I Y I I F
C I S N S A U W N S A C C O H
Y T I C I T S A L E A R A N N
P Y V E M U L O V S R T C P R
A D T P E M D E N S I T Y Z O
I T S B I I P I T R T K S B A
```

ABSORPTION	FLUIDITY	OPACITY
AREA	FREQUENCY	RADIANCE
DENSITY	INDUCTANCE	SOLUBILITY
DISTRIBUTION	INTENSITY	STRENGTH
EFFICACY	LENGTH	TENSION
ELASTICITY	LOCATION	VISCOSITY
EMISSION	MOMENTUM	VOLUME

```
R I V U A R G L W J P N R R Z
O G J S M E Z L I U O O A A P
A E J K A F P E Z L T T C Z P
L O S O R L Z B K I J L T L L
I R W O Y O Y S H A I I O U C
C G O H W W W I A Q N H N G D
E E O L E N C L L U Y Z B R R
C O D L S O N L I I O E E N S
A R Y E T R U E F N N R L A E
M W A B M A Y A A N G E L O U
P E L C A A W E R I H P P A S
I L L F C U R R E R B E L L S
O L E M O N Y S N I C K E T T
N R N O T L I M A H E V I L C
U A N A T O I L E E G R O E G
```

AARON WOLFE	ELLIS BELL	LEMONY SNICKET
ACTON BELL	GEORGE ELIOT	MARY WESTMACOTT
ALICE CAMPION	GEORGE ORWELL	MAYA ANGELOU
BELL HOOKS	GULZAR	PEREZ HILTON
CLIVE HAMILTON	J. K. ROWLING	SAPPHIRE
CURRER BELL	JIN YONG	WIZ KHALIFA
DR. SEUSS	JULIA QUINN	WOODY ALLEN

227 Ultra Prominent Peaks of South America

```
H Z S O O C A Y A M B E F O Z
O D A L A S L E D S O J O D X
T I L J F A C O N C A G U A T
A N I L B E N A D O C I P O M
G A U C A N Q U I L C H A O I
N C H I M B O R A Z O S N V S
U A L N A S A L C A N T A Y H
P U E R U Y O M I L E M O Y A
U H D S A R A S A R A P P M H
T A O T I C O T O P A X I S U
B R D A G C O R O P U N A C A
U A A M A J A S O D A V E N N
K M V A S I N A M I L L I K G
B S E N M W E T A G N A S U A
O C N A L B A B U C A T I R H
```

ACONCAGUA	ILLIMANI	OJOS DEL SALADO
AUCANQUILCHA	MARAHUACA	PICO DA NEBLINA
AUSANGATE	MELIMOYU	RITACUBA BLANCO
CAYAMBE	MISHAHUANGA	SALCANTAY
CHIMBORAZO	MONTE RORAIMA	SARA SARA
COROPUNA	NEVADO DEL HUILA	TAMANA
COTOPAXI	NEVADO SAJAMA	TUPUNGATO

228 Parrots

```
A E V V D L S P W G P S S X C
R S E N E G A L D X T P S N T
N I G H T N A G E L E B P L T
X D E D A E H K C A L B A V E
K A V D E K C E N D E R C K N
Y R R N L I Y T S R C Z R D I
C A P E I A L A R G E F I G M
G P W S P D E L L I B D E R J
L H E D E C A F E S O R F C A
E H O K X S X M T B I O S A J
S B R O W N N E C K E D D I N
S O S I D P T S Y K S U D C X
C Y F E O E J O N Q U I L A U
S T T B A L D M S U P E R B O
O S R R R S N R N L H I A H T
```

BALD

BLACK-HEADED

BLUE-BELLIED

BROWN-NECKED

CAICA

CAPE

DUSKY

ELEGANT

HOODED

JONQUIL

LARGE FIG

NIGHT

PARADISE

PILEATED

RED-BILLED

RED-FAN

RED-NECKED

ROSE-FACED

SENEGAL

SUPERB

SWIFT

229 Easter

```
I R C A N N U A L R E R D S M
A E H S U N D A Y I E R B L O
P Y I A U D Y O A V Z E O Y T
R A C L L R R Q O M A R C H Y
I R K A T E K S A B G I B T M
L P E V E D S Q F O E U I O E
C E N I Y A D N O M O N T T O
Q I T T P Z A D N E A S A A Q
Y V T S S X F L P I U L N T S
A D T E Y R O K T C O T I U S
D X G F I I P S X C N B S Y Y
I L A D Y L I L O E B E T Y J
L I A O K R P H L A J E G G T
O Y P I H T C L R H W R T E O
H U R C F T L T S P R I N G P
```

ANNUAL	EGG	MARCH
APRIL	FESTIVAL	MONDAY
BASKET	GOOD FRIDAY	PASSOVER
CHICKEN	HOLIDAY	PRAYER
CHOCOLATE	JESUS	RABBIT
CHRISTIANITY	LENT	SPRING
CUSTOM	LILY	SUNDAY

230 Carnegie Prize Winners

```
A U R Y L E R A S A V W C N C
T E S S I T A M P L S P A H A
V K E N T R I D G E J Z I O Q
Y I G A S I E R R C K L R J K
J E A M N E P R O H L L P V S
K F L N W Q A R A I R A O O I
R E U E B I A C D N T D X P I
L R O S S E T A E S E U U G J
E W S I A I A H A K R E D T Y
P T S E U A M U O Y L A C R H
S K A W A R A O X R A A F P Y
L S C M T Z N R N M N L Z L B
E N I C W I Q Y V G U L R A V
L H P S N I M L E C B R B G R
H R E G A W H C S T R A Y A Z
```

ALECHINSKY	EISENMAN	ORPEN
ARTSCHWAGER	HORN	PICASSO
ATAMAN	JOHN	POLKE
BEAUX	KAWARA	SERRA
CELMINS	KENTRIDGE	SIMON
CHILLIDA	KIEFER	SOULAGES
DE KOONING	MATISSE	VASARELY

231 US Governors

```
F T H L N I F T Z J T W A L Z
L N E W S O M N H C W Q A R S
L E H A H S E D W O L F C R R
H U R J S I E M U O S A M R E
G L K T I P T R U C R U U X T
A R A R D H Z M R N E B M I F
T A L M D U N L E A V Y I C K
F W Z U I V E Y K R E K L O K
T A A R E Y E L Z E I H L O P
O T S P O L I S T Y R F S P K
R B P H U T C H I N S O N E L
E T M Y A O O X R O J S L R B
U M O O I A R E P L F L T P I
N P A H U M P U H D Y T A D R
A A J K A L O S I S I P T W Z
```

BESHEAR	HUTCHINSON	POLIS
BROWN	IVEY	PRITZKER
CARNEY	KELLY	REYNOLDS
COOPER	MILLS	SISOLAK
DUCEY	MURPHY	WALZ
DUNLEAVY	NEWSOM	WHITMER
EVERS	NOEM	WOLF

232 Fictional Captains

```
B F C V C R O O K C O D D A H
G N I B U T S L L I R R E M S
A E O S J R T I N E D D A N A
T T K R S L B V S E W B H A W
S H C N U R C N P A C W A R G
P Z C A P N T U R B O T B O U
I T G E Y E S D R I B C D C P
J A K O B S K I B A U W R R T
K N R O H E L G N E E Z U O T
T A J O N A S G R U M B Y C J
A R A W O R R A P S K C A J I
M J A M E S H O O K G E Z O B
I Y E R B U A K C A J J C P O
E D R R Q Y D V I M W L B O O
A K N G X E I R R U Q D H I O
```

AHAB	EDWARD KENWAY	JAMES HOOK
BIRDSEYE	ENGLEHORN	JAT
CAP'N CRUNCH	GAULT	JONAS GRUMBY
CAP'N TURBOT	HADDOCK	MAAK
CORCORAN	JACK AUBREY	MERRILL STUBING
CROOK	JACK SPARROW	NED DANA
DOG	JAKOB SKIBA	PUGWASH

233 Weaving

```
S S S R U S A L T F T A D F A
G H O V S A T I N W E A V E Q
E S U R K W F P T R V B D C G
P E T T E X T I L E A E Q A L
A M M A T N H L H U E Y S L R
S O U F X L R E B R W D X R U
I O T F S H E D D I N G R E U
A L C E U E A R C D I F R T I
T K I T D D D A A E A S X N P
T P R A W D N U T Y L A Z I I
P M G E N L E Q R H P J C L R
W C J X H E D C F K U K P P N
M O B H V W S A W L P L U O L
L H A R C R N J S K M P Q P F
U H I O R O K D T I E N F S S
```

END	PICK	SHEDDING
HEDDLE	PILE	SHUTTLE
INTERLACE	PIRN	TAFFETA
JACQUARD	PLAIN WEAVE	TEXTILE
LOOM	POPLIN	THREAD
MESH	REED	WARP
PEGS	SATIN WEAVE	YARN

234 Italian Grape Varieties

```
A S A G R A N T I N O C A Q U
R R A N U R A G U S R N C W T
N A E A R E B R A B A A A Q O
E F L N P F K N S G M L G T N
I N V R A E G O C R A B P N A
S V E R D I C C H I O O I E I
A Q R R O O S O I Y R T N B C
N Y M V O O L A R V G A O B L
I N E E L D W C V I E C T I U
R S N C T A A Y E L N S G O P
E M T U B R R V Y T A O R L E
S C I P I G A T O F T M I O T
S A N I V R O C G L P O G V N
A V O T T A R R A T A C I B O
P W H T T R E B B I A N O N M
```

ARNEIS	MOSCATO BLANC	PIGATO
BARBERA	NEBBIOLO	PINOT GRIGIO
CATARRATTO	NEGROAMARO	SAGRANTINO
CORVINA	NERO D'AVOLA	SANGIOVESE
DOLCETTO	NURAGUS	TREBBIANO
MALVASIA NERA	PASSERINA	VERDICCHIO
MONTEPULCIANO	PECORINO	VERMENTINO

235 Former Kingdoms

```
T A T S P E S I E G S F H F L
H P N P G B B I L A B C G K O
R H U J E G P U K R C X T R K
M O N R N V U P G H A D E K L
M I Y F V Y T Y U W V E A R D
K A S A N J E T A A B K M N S
A V I S C L I P V L R R U H C
M Y R R E Y K O T T E H R B S
A K U S A K G N A L U M A T A
G M N T B P N U H U Y U T R L
A I O M T A I A D D A U O A A
D O E R U H G H M H S K S H A
H S S G I A A S V O I Q U A Z
A M O S J T N Y R T R S K R L
L X J H O S E J A F F N A J O
```

AMORITE	JOSEON	MANKESSIM
AYUTTHAYA	KASANJE	MELAYU
BALI	KEDAH	OUADDAI
CAYOR	KOTTE	ROMAN
CHUTIYA	KUBA	TARUMA
GARHWAL	LANGKASUKA	TUYUHUN
JAFFNA	MAGADHA	ZHOU

236 Branches of Chemistry

```
I  O  A  N  A  L  Y  T  I  C  A  L  K  K  E
M  E  D  I  C  I  N  A  L  F  D  A  D  N  P
O  F  B  A  L  C  E  Y  R  E  W  C  V  H  O
L  S  I  T  U  I  U  R  X  M  R  I  O  P  L
E  P  O  S  S  N  R  T  L  T  R  T  M  A  Y
C  E  P  O  T  A  O  S  H  O  O  E  A  C  M
U  C  H  L  E  G  C  I  N  C  R  R  T  I  E
L  T  Y  I  R  R  H  M  H  H  A  O  E  N  R
A  R  S  D  L  O  E  E  U  E  E  E  R  A  M
R  O  I  S  T  N  M  H  K  M  L  H  I  G  U
S  S  C  T  T  I  I  C  A  I  C  T  A  R  T
X  C  A  A  S  O  S  O  X  S  U  I  L  O  N
U  O  L  T  C  I  T  E  H  T  N  Y  S  O  A
G  P  R  E  V  B  R  G  G  R  E  E  N  I  U
Y  Y  R  E  V  D  Y  E  S  Y  W  R  I  B  Q
```

ANALYTICAL	GEOCHEMISTRY	PHOTOCHEMISTRY
BIOINORGANIC	GREEN	POLYMER
BIOORGANIC	MATERIALS	QUANTUM
BIOPHYSICAL	MEDICINAL	SOLID-STATE
CLUSTER	MOLECULAR	SPECTROSCOPY
ENVIRONMENTAL	NEUROCHEMISTRY	SYNTHETIC
FEMTOCHEMISTRY	NUCLEAR	THEORETICAL

237 Basketball Moves

```
U O T O H S K N A B P W G F I
T D E P T T H W I L O G T E U
R E V O S S O R C I O P O G R
E D I R H E O A D N Y O V U Z
V R R D U F K P A D E W I B R
O O D R F R S A E P L E P A H
M P D A F P H R H A L R Z C U
R S N E L G O O E S A U Y K Y
E T A T E R T U H S M P R D A
W E N E A B A N T D P A E O W
O P I C K A N D R O L L E O A
P T P L L O R R E G N I F R E
Z U S V H D E M V R I I W S D
G I V E A N D G O K C P H C A
O Y T P U M P F A K E R Z L F
```

ALLEY-OOP	FADEAWAY	POWER MOVE
BACKDOOR	FINGER ROLL	POWER UP
BANK SHOT	GIVE AND GO	PUMP FAKE
BLIND PASS	HOOK SHOT	SHUFFLE
CROSSOVER	OVER-THE-HEAD	SPIN AND DRIVE
DREAM SHAKE	PICK AND ROLL	TEAR DROP
DROP STEP	PIVOT	WRAPAROUND

238 US States

```
A M L A M L D N A L Y R A M K
Y B C Z K P S S I O I I O R H
W O C I X E M W E N N W O R A
O V M G H N L M C R D Y R M K
K I R U S N O D O M W I T A S
A R H N I S U F N E G A A I A
D G E O A Y I Y N T E L I N L
I I D N A L S I E D O H R E A
R N S H A V I V C S R G V W R
O I S C W A A P T F G K S J I
L A S Z V N N E I P I E B E Z
F S D H L I A N C S A U F R O
C M A S S A C H U S E T T S N
S I O N I L L I T E X A S E A
B W I S C O N S I N O W I Y L
```

ALASKA	INDIANA	NEW YORK
ARIZONA	LOUISIANA	OHIO
CALIFORNIA	MAINE	PENNSYLVANIA
CONNECTICUT	MARYLAND	RHODE ISLAND
FLORIDA	MASSACHUSETTS	TEXAS
GEORGIA	NEW JERSEY	VIRGINIA
ILLINOIS	NEW MEXICO	WISCONSIN

239 Allergies

```
M P E Y V V U S V X K W S S Y
Q U L L A I I T J B L E D J L
J C I A V V T X C Y P W T S L
S T M T D T E D B N R E W T H
S N E E Z I N G Q I B U D W W
H L T X Y U J H B K W C A H R
N A S H E L L F I S H S E I F
B T Y V I N O S I O P A R L C
R E S F S D I O R E T S G G E
T M E T E T N M S T A W X L I
S T N A U V R E A C T I O N S
T M U U O N E R O T P E C E R
S J M I L K A R M O S I R N L
F G M P O L L E N K H I V E S
G N I L L E W S P A K H H A X
```

ANTS	METAL	SHELLFISH
EGGS	MILK	SKIN
HAY FEVER	PEANUTS	SNEEZING
HISTAMINE	POISON IVY	STEROIDS
HIVES	POLLEN	SWELLING
IMMUNE SYSTEM	REACTION	WASP
LATEX	RECEPTOR	WHEAT

240 Prima Ballerinas

```
L Y T E I X H G O L D W Y N C
D K V A Z O R R I B J F I I I
Y R G W G K P O E W G W R M O
K U P I P L R R L E D I P A Z
S Z A H O R I A N L O Q U J S
V B O W G O C O A L A Q L N A
E V L Y S D E B N S K V O E P
L E T O M R B L T I A H P B J
G A V O T A R U M L Y S A I E
E A B T G W R J X P N R T O Q
L L R N E Y A T S F E Z K W E
T C A O Y A A O I O M N I X H
C T S P K H O P U N E J N B T
O A B U A S D Z M E S S A C C
W A M D Z C V M I T A G F E A
```

ABBAGNATO

ASYLMURATOVA

BALDWIN

BENJAMIN

BERIOSOVA

CIRIO

DUPONT

EGLEVSKY

GOLDWYN

HAYWARD

LOPATKINA

MARTIN

MESSAC

PRICE

SEMENYAKA

SUGAI

SYLVE

TAGLIONI

VALLO

WELLS

ZAHORIAN

241 Tony Award-winners for Best Actor in a Play

```
E T R J U H U Z I A A E H D W
M S R L P Z U H C S R I H K H
A R Z Y E E K R P I B O C A J
Y V A E L G G A R F I E L D S
S N O R I A R R K S D I I U T
T Z T C X P N I A L J H E L T
Y M A R C H N C F A I D R A E
H S B A L H U C E F H N I F L
E L A N G E L L A F I L E D D
N T T S S C K E I A G T Y S I
N M E T L N O E H A I S H T L
E F S O A L N R P S H E U S L
D O Q N T N L A D A U K W O A
F E R R E R L R R E X R A R N
A X G S W A A P A Y N N E A E
```

BATES	GARFIELD	LAPAGLIA
CORDEN	GRIFFITHS	LETTS
CRANSTON	HIRSCH	MARCH
DENNEHY	IRONS	MAYS
DILLANE	JACOBI	RUSH
FERRER	KLINE	RYLANCE
FIENNES	LANGELLA	SHARP

242 Tony Award-winners for Best Actress in a Play

```
A T V P W F R T O U I D B F A
J N D O Z I T S A W I M C P A
R O R U T G Y J L H Z U L S A
U T N O N O S K C A J R N I A
H H A E S A O G R P Y A E F E
S G M N S S G F C E G H R L I
K I C V D O J A D N A I R A R
H E J U A Y L O N R R T I C D
D L A N O D C M R E I K M T I
A N L Z W E T I H W G O M E N
V C G E I Y S D Z U A A X M X
I X L F S P X V P F Y T H I O
S L B O O T H A S R Q P I O L
J P N A S E Y A H A G Z F V S
M T X D N E G N A L A N I D A
```

ARIANDA	HARRIS	MCDONALD
BOOTH	HAYES	METCALF
CALDWELL	JACKSON	MIRREN
CLOSE	JONES	TANDY
DAVIS	LANGE	TYSON
DUNAGAN	LEIGHTON	WHITE
HAGEN	MAY	WORTH

243 Local Winds

```
O A Q C O R O M U E L R R F N
O S H E O S T I H N X I I P P
O Q E R Y R A V A L I G F I L
L R E S U N D O W N E R T R E
N L N Z I O L O M F D E X Z V
P L A I I B W J N F R M O A E
Y A T I E L E P H A N T A H C
M S N O T O A U Q D Z S O K H
B U R A N N O D Y L C O R U E
R X R I E A H H T H E H A W K
E L T J I U S W A W I L L I W
O A Y E N N A X T M O O M I S
A O A E O I M A E S T R O A I
T G M A P M Z R I W R B F J Z
T K R T G R P A P A G A Y O A
```

ABROLHOS	ELEPHANTA	PAPAGAYO
ALIZE	EUROCLYDON	PITERAQ
BISE	GILAVAR	PONIENTE
BURAN	KHAZRI	SIMOOM
CERS	LEVECHE	SUNDOWNER
CORDONAZO	MAESTRO	THE HAWK
COROMUEL	MINUANO	WILLIWAW

244 Words Containing 'Go'

```
A P O U T G O I N G K H G T O
G A R G O Y L E G F P Z P C I
O O K T R I G O N O M E T R Y
U P E R G O L A V E G A B S M
T M V A T I K G H O G X N E N
I A Q I N E O I T O S S O F E
J A A D B R C I N I N G G R D
G T I L I O S A K M O T A O G
E G Y L G M L P T B Q L R U X
O I L N O O E T L E L I D A X
G A E S O G R I K E G E J E U
M S W A G O N I G E N O G Y B
L E S C A R G O T G Q J R D S
E O W R A S R A M H G N Q Y H
A O G E W Y A A L I M M T T D
```

AGOUTI

ALGORITHM

ALLEGORY

BYGONE

CATEGORY

DRAGON

EGOTISM

ESCARGOT

GARGOYLE

GOAT

GOBLIN

GORILLA

INDIGO

LAGOON

MONGOLIA

NEGOTIATE

OCTAGONAL

OUTGOING

PERGOLA

TRIGONOMETRY

WAGON

245 Nutrition

```
C A L C I U M R H M K I E E V
U E S O C U L G L B T K P N A
T C L Z A P E I K R B G U E X
C S L L O B P K E M L W S R P
J S A M U I S S A T O P Y G L
P M C U D L N O I T A R D Y H
B Z A I L E O E R C N O R I E
L B L S R U H S M P M I X S A
T O O E N S V A E I T S P D L
T E R N I D I C A O N I M A T
Z D I G E S T I O N F E O B H
U U E A T T A F S T R I R N D
I R S M O E M I B F R Z D A P
W A T E R R I O A M R Q V W L
A S R A P I N D M S O E A A I
```

ABSORPTION   ENERGY   LIPID

AMINO ACID   FAT   MAGNESIUM

CALCIUM   GLUCOSE   MINERAL

CALORIES   HEALTH   POTASSIUM

CELLULOSE   HYDRATION   PROTEIN

DIET   INTAKE   VITAMIN

DIGESTION   IRON   WATER

246 Celtic Deities

```
U G D O G M A Y P S V S L U P
U B P I C A E G L R K U N U H
D I O A A L R X T R C Q B A N
S U L Q M R B H U H B H D A S
S E W H G H B J T D C T U U R
H Z O R R O G A W E M A A L H
E M I N D C I U L T T I L T D
N A B M A N R O L P A L D T M
N C W U E I I X E B I T P I R
P C T G Z M D F X Q P I V X R
W U V R M E A H G E W U A A L
M I A U T I H C A N M A U F U
L L H I N I A M H A O E A A S
N L Z T H C E C C A M M D L Q
Z T R H I K N Y H T F E D B I
```

FUAMNACH	MACHA	OGMA
GRIAN	MEDB	PLOR NA MBAN
LABRAID	MIACH	SADHBH
LUCHTAINE	MIDIR	SEONAIDH
LUGH	MONGFIND	TAILTIU
MAC CECHT	MUG RUITH	TETHRA
MAC CUILL	NIAMH	TLACHTGA

247 Essential Oils

```
S P R U C E N I M S A J E R A
L I A D Q U O I U U G T A Y C
S N I Y T L N A G A R S J I A
S E W M M R R W W M I U N F L
I N E R O L I Y O R A N G E A
B G I Y Q U T A R R A G O N M
L I S A B F T J T M R R G U U
U N R R N F U K O X E A M G S
L G V C Q U N N N G U Q Y R I
F E S F H H O O A W A R R E I
T R E V O L C N R Z T A R E Y
T S A Y A Q O V L T J S H K X
N W K O M Y C Y U U I U L Q V
Y G G K T K V H O W W C A X I
S V K R Y Z O E L F N X U C A
```

AGAR	COCONUT	NUTMEG
BASIL	FENUGREEK	ORANGE
BIRCH	GINGER	OREGANO
CALAMUS	JASMINE	PINE
CINNAMON	MUGWORT	SPRUCE
CITRON	MYRRH	TARRAGON
CLOVE	NEROLI	YARROW

248 Romantic Comedies

```
L E M I T T U O B A S P V Y H
J D G Y A D R E T S E Y T A C
A U D E T A D I L O H F L R T
T P S D N E I R F T S U J P I
H S Y T I P I D N E R E S S W
I W S U G A B R I D E W A R S
S S E I D O B M R A W R G I E
M P N A M O W Y T T E R P A H
E N R I X K C I S G I B E H T
A U L O V E A C T U A L L Y W
N E B J A N N I E H A L L G V
S I R A P N I T H G I N D I M
W L A S O P O R P E H T J D E
A I M A M M A M D O N J O N T
R A E Y P A E L D E D N E L B
```

ABOUT TIME

ANNIE HALL

BLENDED

BRIDE WARS

DON JON

HAIRSPRAY

HOLIDATE

JUST FRIENDS

JUST GO WITH IT

LEAP YEAR

LOVE ACTUALLY

MAMMA MIA!

MIDNIGHT IN PARIS

PRETTY WOMAN

SERENDIPITY

THE BIG SICK

THE PROPOSAL

THE SWITCH

THIS MEANS WAR

WARM BODIES

YESTERDAY

249 Ed Sheeran

```
M T L C B S Y L Z Q W R O W L
L R I A E R E T I R W G N O S
K P N S A D I V I D E O H Q T
G E R T U S V Y T P P F S R F
D U O L T U O G N I K N I H T
M O B E I L R I G Y A W L A G
U Y A O F P N M E T S H G L I
S F E N U S O M A M V R N I P
I O S T L A V S U E S H E F E
C E Y H P S E A I L T S U A R
I P R E E L D O N T A O X F
A A R H O A L I V E G I E R E
N H E I P H O T O G R A P H C
R S H L L A Z F O A Q T P L T
U C C L E G O H O U S E W S Y
```

BEAUTIFUL PEOPLE

CASTLE ON THE HILL

CHERRY SEABORN

CROSS ME

DIVIDE

DON'T

ENGLISH

GALWAY GIRL

HALIFAX

IVOR NOVELLO

LEGO HOUSE

MULTIPLY

MUSICIAN

PERFECT

PHOTOGRAPH

PLUS

SHAPE OF YOU

SING

SONGWRITER

THE A TEAM

THINKING OUT LOUD

250 Jupiter

```
P P I T R U S X M E L M C U U
R L L U E Z P V T Y Z T I R V
X M A G N E T O S P H E R E L
M A T N A I G S A G O L O G L
L A R G E S T P L A N E T A P
R J G O A T M A R I U S S Y L
U O E N M N A U R M J C I O I
N P C U E A Y R I A O O H V L
C E I K R T N M Y L S P E U Q
Q M G O Y O I G E R E E R R T
C R A O N C P C O D I H P T A
S O U U R E O A T D E N Q S S
O T O P S D E R T A E R G G R
R S S T I P Y R E R I Z E R Z
O E L I L A G H T B U L G E R
```

BULGE	HYDROGEN	PLANETARY RING
EUROPA	JUNO	PRE-HISTORIC
GALILEO	LARGEST PLANET	ROCKY CORE
GANYMEDE	MAGNETIC TAIL	ROMAN GOD
GAS GIANT	MAGNETOSPHERE	STORM
GREAT RED SPOT	MARIUS	TELESCOPE
HELIUM	PIONEER	VOYAGER

251 Gin Cocktails

```
T R W G I F M R R A P P V T I
X H P S N I L L O C N H O J A
Y R R M O N K E Y G L A N D L
E N O I T A I V A O I Y X R T
K C U D Y F F U L F A M B X O
C G A E E Y R D A R N Z L T Q
I I G S G X E O R D G L A E Y
R N I E I T U E R U E T C R T
E I N E O N L T I S L P K V G
M T F N T W O K V B F T T I Z
I R I K E S I D A R A P H S G
L A Z S S N I L L O C M O T E
N M Z E V I N O R G E N R R T
Y B R E D N A X E L A A N R A
H T R B R A M B L E B Q O G T
```

ALEXANDER	DERBY	MONKEY GLAND
ANGEL FACE	FLUFFY DUCK	NEGRONI
AVIATION	GIMLET	OLD ETONIAN
BEE'S KNEES	GIN FIZZ	PARADISE
BLACKTHORN	JOHN COLLINS	ROYAL ARRIVAL
BRAMBLE	LIME RICKEY	TOM COLLINS
CASINO	MARTINI	TUXEDO

252 Hairstyles

```
I C O R N R O W S C O E S F R
F F J T M D C N E D H K V O L
O R H P Q R R Y V R R B T M T
N E E O B N E R A E R U U P V
T N R N R S W P W A F T S R B
A C I Y C T C Q R D R H Q K N
N H C T C H U Y E L O P U A A
G B U A F G T T G O S O F P T
E R R I Y I E W N C T M R L U
V A L L E L N O I K E P T F R
I I C F L H N D F S D A R A A
H D A U B G L P F Q T D X F L
E V M W I I X U M I I O I R W
E R D H S H A P E U P U E A F
B U C R I N G L E T S R Q A K
```

AFRO

BEEHIVE

CHIGNON

CORNROWS

CREW CUT

DREADLOCKS

FINGER WAVES

FONTANGE

FRENCH BRAID

FRENCH TWIST

FROSTED TIPS

HIGHLIGHTS

JHERI CURL

MULLET

NATURAL

PERM

POMPADOUR

PONYTAIL

RINGLETS

SHAPE-UP

UPDO

253 UK Prime Ministers

```
G C H P R R N R M T Z R P R L
E C U R R S G Y P I U I C U A
D X A P E O H T I U Q S A P K
E C T R T E J K O H H H K N E
N A H G A L L A C A M E R O N
E I D U J P W T M D O A B S W
H U L V R E H C T A H T A N O
P K A E D C D N O A E H L H R
A G N Y Y T H I O A I H D O B
R U O F L A B I S S R O W J Y
M S D J C O M L L R L P I H A
O D C H A M B E R L A I N Y C
X N A L L I M C A M P E W F D
Z E M V Z N S R U S S E L L A
R E O U A H R F L I B L A I R
```

ASQUITH	CAMERON	MACDONALD
ATTLEE	CHAMBERLAIN	MACMILLAN
BALDWIN	CHURCHILL	MAJOR
BALFOUR	DISRAELI	MAY
BLAIR	EDEN	RUSSELL
BROWN	HEATH	THATCHER
CALLAGHAN	JOHNSON	WILSON

254 Facial Masks

```
A R S B D B A H H R W S I X C
C A V L G G Y C O N K B E R U
R B S S F N O I X E L P M O C
N E V T T I I M S E B Z O R U
U O I X C T G S M O O T H M M
A Y T I R A L C N I K S I U B
M H A N E N R P M A I N Y D E
L O M B A E T T O R E T A W R
H N I A M V E U X R M L L Z T
T E N S W U E T A E E K C T C
E Y S T T J H L P Y T S Q A W
P R E F R E S H I N G I C J T
V T U Q W R N U T X T T U A O
S E L K N I R W E C U D E R X
L I S E J S R A T S O S X R F
```

CACTUS	HOME	REFRESHING
CLAY	HONEY	REJUVENATING
CLEANSING	MINERALS	SHEET
COMPLEXION	MOISTEN	SKIN CLARITY
CREAM	MUD	SMOOTH
CUCUMBER	PORES	VITAMINS
FRUIT EXTRACTS	REDUCE WRINKLES	WATER

255 Multiple Olympic Medal Winners

```
I  G  W  A  A  V  E  J  L  S  S  P  I  T  Z
X  O  E  N  N  A  A  X  I  P  M  R  Z  H  D
I  D  N  O  I  B  N  Z  A  S  P  L  E  H  P
V  A  G  S  N  I  R  A  K  U  H  C  G  N  O
Z  U  A  P  Y  F  O  T  R  J  A  T  L  B  J
T  M  V  M  T  T  V  O  D  N  O  M  L  E  B
R  E  O  O  A  D  O  D  I  T  Y  A  T  I  N
S  V  R  H  L  Y  N  N  I  L  H  G  U  O  C
V  Y  O  T  F  I  A  F  E  L  O  C  H  T  E
J  N  G  P  P  T  I  K  I  M  A  I  R  X  O
P  M  E  U  E  E  R  R  A  S  O  Z  E  I  O
P  N  Y  M  T  L  D  I  V  N  C  V  Z  L  I
J  I  S  H  W  E  N  I  E  T  S  H  C  E  P
U  A  V  O  H  K  A  T  S  A  E  X  E  F  V
Z  T  X  G  P  R  X  H  S  I  T  S  M  R  O
```

ANDRIANOV	FELIX	PECHSTEIN
ASTAKHOVA	FISCHER	PHELPS
BELMONDO	KELETI	SMETANINA
BIONDI	LATYNINA	SPITZ
CHUKARIN	LOCHTE	THOMPSON
COUGHLIN	NAKAYAMA	VEZZALI
DITYATIN	NEMOV	YEGOROVA

256 French Cities

```
V X E M H S Z R A V K M R O W
U S T P Y D F L E C T R M P S
H T L E S N E I M A O Z A T E
I O T H O R V L E P B U R E T
L U E L Q E I L C O T A S Z N
R L U S H C L E R T S E E R A
U O S H S I L D K B I U I X N
T U X V M N E T O U R S L P N
L S S O R A U U S M A E L R T
T E G N U T R R L M P A E A O
P E H X S G B O Y U I Z R N F
S D X A F U A P O H F E T G R
U S R I V P N A N G I P R E P
S E N N E R N O X A M K J R M
N M O N T P E L L I E R B S V
```

AMIENS	MARSEILLE	REIMS
ANGERS	METZ	RENNES
BORDEAUX	MONTPELLIER	STRASBOURG
LE HAVRE	NANTES	TOULON
LILLE	NICE	TOULOUSE
LIMOGES	PARIS	TOURS
LYON	PERPIGNAN	VILLEURBANNE

257 Formula One Grand Prix Winners

```
N X A T H Y B S L I S R O O U
O R L T R N O I A T T O M J P
T E H U L M E R U T W S V R T
T R A W E T S U D O T N O V C
U Q M O S H Q X A I A O I R S
B R I C C I A R D O V L B I P
G L L I H R A T T D L A O N Y
V I T Q U L K G S E N N A D R
P A O M M R L L N R N H U T J
P I N O A I R E T K C E H C S
P Y Q L C R U T S T S H V J I
M C C U H V G T R N A A K R G
A O F W E B B E R U A O E U S
A S Z V R T U V J H C M S P T
T S D M R E Q X I U I T L N L
```

ALONSO	HUNT	SCHECKTER
BOTTAS	LAUDA	SCHUMACHER
BUTTON	MANSELL	SENNA
CLARK	PIQUET	STEWART
HAMILTON	PROST	VETTEL
HILL	RICCIARDO	VILLENEUVE
HULME	RINDT	WEBBER

258 Pulitzer Prize for Poetry Winners

```
L L A A R S A S K O O R B C T
D Z B I U X N O S R E M E K S
M D R K R N L V H O W A R D T
I R E E F I H E N B C W R J T
C P W N V T T V A Y R Q Y I R
D P T E N S I L S O U E M Y G
I V R A X I M W E K N D A E L
J D O E J U S T I C E N N L R
Q E V R I U H Z U D E H U A C
A Q U K U K E P F A D T A D V
K K V L E R L L I R R E M S S
E R Y I E A E A O L A O M A S
F S L P T T P A Z S P E Y E R
O P J H U P Z A A F R O S T R
U P P Y N O Q X R H R G M S S
```

AIKEN	HASS	ROETHKE
BERRYMAN	HOWARD	RYAN
BROOKS	JUSTICE	SMITH
DENNIS	KIZER	SPEYER
DUNN	MERRILL	TEASDALE
EMERSON	OLIVER	VAN DUYN
FROST	PLATH	WIDDEMER

259 Chemical Elements

```
L H E L I U M S R C E B R R I
K B J N A R T H H G S N S Q P
U R O X I A Y L A R G O N H V
N P M S A D O E A S L B I O Q
O O J U R R O X F B E R C P A
X J E O I S B I Y W O A K E R
M A G N E S I U M G L C E U D
R E E E E I S S L C E U L P N
N P M G Y L K A I O O N S L U
A R U O T V O U T R S P N S E
I C I R X E M O H O O J P Z N
E O R T D R T M I K P N O E O
R V T I T A N I U M X V E A R
T A T N E I A A M S W H A Q O
A T Y S H K D Y O R S J S Y B
```

ARGON	HELIUM	NICKEL
BORON	HYDROGEN	NITROGEN
CALCIUM	IODINE	OXYGEN
CARBON	IRON	POTASSIUM
CHLORINE	LITHIUM	SILVER
COBALT	MAGNESIUM	TITANIUM
COPPER	NEON	YTTRIUM

```
A J E T A G E G A N O R I O R
O L X E C N A S S I A N E R T
M A C H I N E A G E R T G A G
S T A R E Y C N E G E R A S R
A T V I C T O R I A N E R A R
O Z U T B E H L C E A G E Y C
S Y E D R S J O O C I A V R I
H P G X O B G N L I G G L D H
O A A Y N R A G D E R N I T T
L B Z C Z U P P W L O I S S I
O T Z S E V A E A T E K J E L
C R A D A A A A R T G I J D O
E M J A G T G C P I L V R L E
N N O R E P R E D L O G P O N
E O Q O E Y T I N R E D O M E
```

BRONZE AGE	LITTLE ICE AGE	REGENCY ERA
COLD WAR	LONG PEACE	RENAISSANCE
GEORGIAN ERA	MACHINE AGE	SILVER AGE
HOLOCENE	MODERNITY	SPACE AGE
IRON AGE	NEOLITHIC	TUDOR PERIOD
JAZZ AGE	OLDER PERON	VICTORIAN ERA
JET AGE	OLDEST DRYAS	VIKING AGE

261 Staying at a Hotel

```
L U S E T B L O M O O R F K L
A I M V S E O Q B A U U C O S
E C L Z E L D Q A B N T O L L
U H P R U L G O N I S A C T E
A A F X G H I K N I R D G R I
L I U O L O N C O M P U T E R
F R L O O P G N I M M I W S R
Y S P Q H D E I S E V E N T U
W R W T S S E N I S U B T A E
F H T R A T S E V I F W B U J
L O E C O N C I E R G E P R W
C T A O J U U R L A D P X A L
A A H E C N E R E F N O C N Y
X R P U L M A T T R E S S T Y
O I Y D S E S T F R G C T E T
```

BED	CONFERENCE	LUXURY
BELLHOP	DRINK	MANAGER
BUSINESS	EVENT	MATTRESS
CASINO	FIVE-STAR	RESTAURANT
CHAIR	FOOD	ROOM
COMPUTER	GUEST	SWIMMING POOL
CONCIERGE	LODGING	TELEVISION

262 Paintball

```
Q A P J R R R D T P T M U S K
A E D E R G N I K C A T T A W
S W D E F E N D I N G A O F P
V S V D I U I Q A S C A U E E
N A H I E O D Y E T A A R T U
O S W X L H W L I N I K N Y O
I R I O D W I C T E R R A I N
T M O I T M A S K N P P M T X
A A P D I L R T R O P S E U S
E B O N C S E E D P T A N U G
R O A O L F K S N P M R T I L
C T V B R G N I T O O H S M S
E E G R L E U G A E L T U R G
R A Z A O P B Q T K W T I W L
A R S C E N A R I O P L A Y E
```

AIR   FIELD   SCENARIO PLAY

ATTACKING   LEAGUE   SHOOTING

BUNKER   MASK   SPORT

CARBON DIOXIDE   OPPONENTS   TACTICAL COVER

DEFENDING   PODS   TEAM

DYE   RECREATION   TERRAIN

ELIMINATE   SAFETY   TOURNAMENT

263 The Sound of Music

```
S O A H T N U M A T S T R B G
J G G X C A P T A I N A N R M
K E T R I L Q N N R R A R E P
R O D G E R S G V S I T S M Y
J R P P A R T N O V U A S M M
N G R R G Q U T N C G E O U R
E E E H T O T T S E T O U L A
S T H L C L V A C S H I M P T
L P L S E I L E H I O R X A T
H L S E W Z R M R W P O U N I
V T O K B A Y D A N P T F D G
V E U U Q C K S E R E R S R I
P R R L I E X P D I T S N E R
T G P L R S S B E Z R A S W B
S K F E G J A L R J N F O S B
```

ANDREWS	GOVERNESS	PLUMMER
AUSTRIA	GRETL	RODGERS
BEST PICTURE	KURT	SALZBURG
BRIGITTA	LIESL	SING
CAPTAIN	LOUISA	VON SCHRAEDER
FRIEDRICH	MARIA	VON TRAPP
GEORG	MARTA	WISE

264 Seafood

```
S O V A D T G S T S J V Y U E
S O T O J A A P Y L T I C I R
R Y T L I L I R U R R G M Z T
L S O Q M S O A X E R O S I D
A T A O A Y K T H U G E V T V
M E N H A D E N O L A B A Y D
P R Z G L E P R R W W N T R I
R L A H L B P O E O C J C O D
E E E E O Q I E L H F E A Q Q
Y S N R X L D L O L A Q T A D
D S I R E T H V L K A A F K B
R U D I U K Y D R F L C I A E
S M R N Q E C H R L I E S A A
Q P A G M F L A T F I S H C X
P B S T B T X N M J U S H W G
```

ABALONE   FLATFISH   SALMON

ANCHOVY   HERRING   SARDINE

BASS   LAMPREY   SCALLOP

BILLFISH   MACKEREL   SEAWEED

CATFISH   MENHADEN   SPRAT

COD   MUSSEL   TUNA

EEL   OYSTER   WHELK

265 Winemaking

```
P L T B C P L U P P J I S U S
P U B O E N O L O G Y Z I U A
R F R O K O H M Y W I N E J L
T K R T T I O S U A N O U B X
E H M U S T C R U S H I N G E
L L T C I A L X S G C T Z L F
Q E L S H T A E P E A A U H K
R X S V A N J C A A G R A P E
G U T Z R E R F R A A T N W H
C R A I V M Y J K E O L H W U
E P G A E R U T L U C I T I V
F X I B S E L L I D T F L J E
S W Q I T F V I N E Y A R D J
M K K C E A C P G R P C A X W
Q R K A C A T P R H R I I A I
```

ALCOHOL	GRAPE	SPARKLING
BOTTLE	HARVEST	SUGAR
CORK	JUICE	VINEYARD
CRUSHING	MUST	VITICULTURE
FERMENTATION	OENOLOGY	WHITE
FILTRATION	PULP	WINE
FRUIT	RED	YEAST

266 London Underground Stations

```
Q U S S P K B B R I X T O N I
M A R B L E A R C H A R Z L A
K L A E E W R W J O T U S J D
N O I S G G K H W S I O Z K R
A N R S A A I A Q V B C E R O
B D F O E R N M S A A S F T F
O O K R L D G M K N N L A Y T
N N C C P E U E A T G R R A A
D B A G M N R R R L E A R W R
S R L N E S Y S K A L E I H T
T I B I T W P M E T W N N C S
R D R R H Y F I P A I G G R W
E G E A Q N O T G N I D D A P
E E R H R T A H E V P L O E S
T F U C A M D E N T O W N J S
```

ANGEL

ARCHWAY

BAKER STREET

BANK

BARKING

BLACKFRIARS

BOND STREET

BRIXTON

CAMDEN TOWN

CANARY WHARF

CHARING CROSS

EARL'S COURT

EDGWARE

FARRINGDON

HAMMERSMITH

KEW GARDENS

LONDON BRIDGE

MARBLE ARCH

PADDINGTON

STRATFORD

TEMPLE

267 Feminist Artists

```
J Q I B S A S T H Y V S E M E
C I C L R A O N O B N A I D I
F U L R B M U I L O P O A P F
I M Q T J A H J Z R T H U I W
L U E T T S T O E D W V T T A
R P G K R U G E R E J U L Y L
E T O M P K I N S N R Y J U Q
S K O N L T I H P B Q T C L N
S D R R E P W E I T A O O V P
E H B O E V L D G Z P L S F U
H R E I L L E T N O M H A Q G
S Z L R R C E L L I V A S C E
U D P S M I T H S A N K Q M Y
S J P T E A V E R O B B I N S
S H A I Z T N T L S N N Q I P
```

AHWESH	ITURBIDE	NEVELSON
APPLEBROOG	JULY	ONO
BORDEN	KAHLO	ROBBINS
EMIN	KRUGER	SAVILLE
HESSE	KUSAMA	SHERMAN
HOLZER	LACY	SMITH
HORN	MONTELLIER	TOMPKINS

268 Eating Utensils

```
K R O F B A R C S S S T D L P
O C C R U I R E W E K S N O A
S A C E T T L T A S V K O B S
G G O K T O R K L P N C O S T
N F C C E O E R C A S I P T R
O O K A R T K O T M V T S E Y
T N T R K H C F A C R S P R F
L D A C N P A E E R O P U P O
I U I B I I R K M O I O O I R
A E L A F C C A R D D H S C K
N F S R E K T C Y D Z C T K R
S O T C P X U E K K C U I Z O
D R I N K I N G S T R A W H P
P K C S P O O N S T R A W N S
M Q K P H U E F I N K H S I F
```

BUTTER KNIFE

CAKE FORK

CHOPSTICKS

COCKTAIL STICK

CRAB CRACKER

CRAB FORK

DRINKING STRAW

FISH KNIFE

FONDUE FORK

HONEY DIPPER

ICE CREAM SCOOP

LOBSTER PICK

MEAT CLAWS

NUTCRACKER

PASTRY FORK

SKEWER

SNAIL TONGS

SOUP SPOON

SPOON STRAW

SPORK

TOOTHPICK

269 Card Games You Can Collect

```
L I N W O D W O H S A B N T T
R E D R O S L A R E N E G A T
P X S I K S O E T N E M E L E
S F M T L L I W F O E C R O F
E O E I O E W A R C R Y B G
L E T S N R R T C H D U N E E
T L S S Y E I A L T E I L L A
T T Y U S Z F P B F P M T L H
A T S P V H L S S O X I W A E
B A S E B A L L H E R O E S C
C B V R D O E V L M L L T A A
I I S D U N P U K A L T E R T
P G S E R D S R U G W R T A O
E I U C E L T R R A L A M A M
P D Q K M A T C H A T T A X B
```

A GAME OF THRONES	DUNE	NBA SHOWDOWN
ALDNOAH ZERO	ELEMENTEO	SPELLFIRE
ALTEIL	EPIC BATTLES	SUPER DECK!
BASEBALL HEROES	FORCE OF WILL	VS SYSTEM
BATTLE SPIRITS	GENERALS ORDER	WARCRY
BELLA SARA	HECATOMB	WIXOSS
DIGI-BATTLE	MATCH ATTAX	X-MEN

270 Manga Artists

```
A T A B O R B U S A S Q Z L G
M I Y A Z A K I S H I M O T O
A O Y A M A T O G A S H I S A
Y R M A V T O O T R S V L G C
A I L I S H I D A A P P R R Z
S D H A I A S R R K T R A P T
I F O C Y T I A U A T E P O T
J J N K U B O Q M W S A N S C
A N A B O E Q Y E A R K U O E
U A R U M A K A N H S D R S L
A E I H E A R A A U A H C Z T
L O H I R U M D T E O T I C Z
V D O A E E L E Y M O T O M I
N P C N R N R U P B G S C R A
Q U U T H E R F V L E R A E I
```

AOYAMA	KUBO	ODA
ARAKAWA	MASHIMA	TAKEUCHI
HATORI	MIYAZAKI	TANEMURA
HIRANO	MOTOMI	TATENO
ISAYAMA	NAKAMURA	TOGASHI
ISHIDA	OBANA	TSUDA
KISHIMOTO	OBATA	UEDA

271 Korean Dishes

```
U Y T K W O A I S G A L B I O
M P U Y F X G N A T I E R S S
E A N K S O K U E S A M H A J
J B K U G E E F N L U M A N A
S M S L N A E N G M Y E O N M
C I U I L H E H C I H B E A P
I B R U X C Z J H J V X K K J
S I U V A P L Y A J H C U J V
E B U C O A P G E N H C I I M
F O M J H J A X I A G G K U A
P S H A L I B D N R A J D C A
T S R K S A M G Y E O P S A L
A A Z A U O I G F Y S I K E L
H M U Q A Y K P A G U J J I M
U K I M C H I J S E Y T S P B
```

AGUJJIM	GYERAN JJIM	NAMUL
BIBIMBAP	JAPCHAE	SAENGCHAE
BOSSAM	JJIGAE	SAMGYEOPSAL
BUCHIMGAE	KIMBAP	SANNAKJI
BULGOGI	KIMCHI	TANG
GALBI	MAKCHANG	YUKGAEJANG
GUK	NAENGMYEON	YUKHOE

272 Islands of Italy

```
O O G O I G G E G R E B C I O
O Q I G L U G H C A P R I N Q
I Z G B L R F Y L Y I O L E A
O G L F A E S A J L S O K X P
U A I D G T T N W I C U L S Q
A L O C I N N A S C H G F A S
L L L R L E R N A I I K X T B
O I O Q S M L G I S A Z N O P
R P A M Z E E I R P O P C S L
A O P U H L I V O G N C B A P
M L N N V C P A L M A R I A V
L I A I O N R F E K R V K L K
A I S L D A Y O A I U S I Q E
P F T F W S E E R R B S L P R
J J S R P U U U C M S U O U R
```

BERGEGGI	GALLIPOLI	PALMARIA
BOCCA	GAVI	PALMAROLA
BURANO	GIGLIO	PONZA
CAPRI	GRADO	SAN CLEMENTE
DINO	ISCHIA	SAN NICOLA
FAVIGNANA	LI GALLI	SAN PAOLO
GAIOLA	LICOSA	SICILY

273 Tropical Cyclone Terms

```
E G R U S M R O T S T R I K E
E E L L I E Q S L U I T A U B
G V C H T P N T A P H L D B R
D A A R R X U S N E T A G Z E
S D L W O E Y E D R C C N M M
H V H E L F S V F T E I I O N
S I R D W A S N A Y R P N N A
I S E I O A C I L P I O R S N
A O L T L A R I L H D R A O T
Q R O M F P U N P O N T W O L
V Y C R T A M N I O I A M N O
K E A O U R J I A N R R R E W
Z I T T O S O O N S G T O B B
T B E S T T R A C K C X T C I
A G D E M R O F E R D E S M X
```

ADVISORY	INDIRECT HIT	REMNANT LOW
BAR	INVEST	STORM SURGE
BEST TRACK	LANDFALL	STORM TIDE
CORIOLIS FORCE	MONSOON	STORM WARNING
EXTRATROPICAL	OUTFLOW	STORM WARNING
EYE	REFORMED	STRIKE
GALE WARNING	RELOCATED	SUPER TYPHOON
		TROPICAL WAVE

274 Geography

```
A R Q W I Y Q G Q M L I Q F G
H T R R N W O T E G A L L I V
L O V A L E A S C I P O R T I
F I X O E C N I V O R P T R G
T S X A T Q B O S O R I T I L
T Q G J P P J R Z I L S A W K
I L O N G I T U D E V C O R F
P P I T Q C K S N T M R A E P
E E M S S E N R E D L I W N K
N T Q T U N D R A D W W T O O
J T O T S N R P M A W S A I W
L B H S R A M A E R T S W G Y
L T G S I B P I E D I T J E T
X B Y N L R P U H S V L Q R Q
C X X F Y U Q K S G Z S A Q E
```

INLET	STREAM	TUNDRA
LONGITUDE	SWAMP	URBAN
MARSH	TERRAIN	VALE
OASIS	TIDE	VILLAGE
PRAIRIE	TIME ZONE	VOLCANO
PROVINCE	TOWN	WILDERNESS
REGION	TROPICS	WORLD MAP

275 Fictional Felines

```
J H T R O W S E L G G I B R M
N O G A R F I E L D C H R I R
I B S B C F F I L C H T A E H
U B N N R E I T S S E I O B N
Q E F M O P T L S I S S M S
W S U Y O W Y I B M H T Y O A
J O S R K R B E H Y I I L P F
T K S U S J G E W W R A V D L
Z F R M H P R A L A E C E M O
A T C T A I P C N L C H S S S
D T I A N R P O E A A K T P E
D O L P K U F O E S T E E O T
U R K B S E U X D P U A R T P
J M M S M T C Y D A E J G Y R
A U T A L S H T L L G R L T U
```

CAIT SITH	HOBBES	SMARF
CAKE	JUDD	SNOWBELL
CHESHIRE CAT	LEO	SPITZ
CROOKSHANKS	MORGANA	SPOT
FILBY	MR. BIGGLESWORTH	SYLVESTER
GARFIELD	PUSS	THE WHITE CAT
HEATHCLIFF	PYEWACKET	TOM

276 Grey's Anatomy Episodes

```
R S N S M H S U P R I S O Y S
T U N E N O Z R E G N A D N A
L S O W A I D M R R M V F U A
U E D N O D V E F O Y E A S R
Y J M N I R D H E A L M M A E
G L M O I A G I C R I E I D U
K A H W H L G T T P F I L I N
Z N C O O Y B A S U E S Y A I
R O L R T R M W T O P S A G T
S S O N O H P E O I M O F N E
Q R T E S A G D R N G L F O D
C E Z V O S L I M U S N A S R
P P L E M F O L L A O S I I A
U T H R I L L E R F L Y R S B
Y B E A G N I L E E F T U G Q
```

A DIAGNOSIS	FREEDOM	REUNITED
ADD IT UP	GUT FEELING	ROAR
ALL OF ME	IN MY LIFE	SAVE ME
ALMOST GROWN	NOW OR NEVER	SING IT AGAIN
DANGER ZONE	PERFECT STORM	SNOWBLIND
FAMILY AFFAIR	PERSONAL JESUS	THRILLER
FLIGHT	PUSH	YOU'RE MY HOME

277 Hop Varieties

```
O P T I W C Q E T J U B J R H
M L F J A R G H X O R R N K D
S F L E J Y C K N S O A T I L
T M B O O S P Y L A C V N C U
R D A U P T I M M U S O B Z R
D T P O L A R I S P Z E S J H
G H E R A L D H P I M M A T G
A Q L Y Z I I H R L O D D Y U
L A D A R B O O E G S J M O U
A C I O R E H V N R Z K I S B
X R H T N R I P E I K T R U S
Y A I I Z T E C P M S U A M T
L S X L W Y N Z A A S Q L M J
F M I B R C H A L L E N G E R
T S E T Y J N T E G G U N R S
```

ADMIRAL	EROICA	NUGGET
APOLLO	GALAXY	PHOENIX
BRAVO	GLACIER	PILGRIM
BULLION	HERALD	POLARIS
CALYPSO	HERKULES	SAAZ
CHALLENGER	HORIZON	SUMMER
CRYSTAL	LIBERTY	SUMMIT

278 Alternative Medicine

```
A G N I H T R A E U R A A E N
G U Q N O I T A T I D E M A H
A H E R U S S E R P U C A R W
A Y G N I H T R I B E R E K K
Y P A R E H T O I L B I B A Y
H N S J Y R I Y K F K E S H D
T O S E G T U H X I A T L C O
A S A R O M A T H E R A P Y W
P I M U L Y A A C O D I N G S
O S I C O T A P L N E R B S I
E A A R B T L O V S U Q O G N
T Y H E R U G E C U P P I N G
S X T T E Y I M Y J V R U T H
O T I A H K R O W Y D O B C Q
T N I W R I U H S G N E F T A
```

ACUPRESSURE

ACUPUNCTURE

AROMATHERAPY

ASTROLOGY

BIBLIOTHERAPY

BODY WORK

CHAKRA

CODING

CUPPING

DOWSING

EARTHING

FENG SHUI

HERBOLOGY

HOMEOPATHY

HYPNOSIS

MEDITATION

OSTEOPATHY

REBIRTHING

REIKI

THAI MASSAGE

WATER CURE

279 Tapas Dishes

```
E E R T A C E I T U N A S C U
H T C O D H G N O H U A H P E
J S A R U O A A X A V O E A V
S A L T N R M R A A R N B P F
A T A I O I B F R I C U A A R
L E M L J Z A B Z S A R N S I
L U A L O O S O B O R O D A E
I Q R A C A A A O T C M E R D
D O E P T L Z L J I A O R R C
A R S A V A D A A P M H I U H
N C T I K S J C R O U C L G E
A A N S U I R A A H S N L A E
P O L A J D B B Z C A I A D S
M S E N O R E U Q O B P S A E
E N S A L A D I L L A R U S A
```

ACEITUNAS	CHORIZO A LA SIDRA	GAMBAS
BACALAO	CHORIZO AL VINO	PAPAS ARRUGADAS
BANDERILLAS	COJONUDA	PATATAS BRAVAS
BOQUERONES	CROQUETAS	PINCHO MORUNO
CALAMARES	EMPANADILLAS	RAXO
CARCAMUSA	ENSALADILLA RUSA	TORTILLA PAISANA
CHOPITOS	FRIED CHEESE	ZARAJO

280 Antiques Experts

```
F A E J B K T T T E B B E N C
S Y Y A R U L J F W B A N N W
G H R L O M S P R F R L O O T
S J U N B R K B E S K S I T B
E O B A E L A N Y X N B P S J
Z U R O G H D S S I C R M A S
D R E E O E Y H K F E E A E T
V D T T L R A C L I N L C E H
D A T M D E I D K D N L O R S
S I A Y M D E L O P T I L H A
Y N O B A I S Z V N S M A A O
U L U G N R A D E F E R V I W
F R P A G C R E L Y A K I X U
U S R V B A L S A H O Z X B V
P D B S J A E Z O N A G F O V
```

ATTERBURY

BLISS

BLY

BUSBY

CAMPIONE

CRIDER

DEINARD

DICKINSON

EASTON

FENDELMAN

GOLDMAN

HENRY

JOURDAIN

KAY

KENO

KOVEL

LURAY

MENDOZA

MILLER

NEBBETT

RASKIN

281 Young Adult Writers

```
X S X R I N O K W W Z I E R E
F V M Z E R I A R R U G L L Y
R E Y E M I T G S R A N J G O
G C R E M L E C O L L I N S A
F G A S N U T W C L O K D R J
S R F B P I L O X W D H S I T
T K T I O I T B S B M I C O N
E E K I N T H S S K A E N E K
N A B G A Q O U B A R D U G O
C A G X M S R G K R T A X N Z
M A M W K X O G F M I D P R Q
I T R I C U W N I A N C X S U
N O D D A H I L I Z Y V Y G P
I H G R L G T A G A H B F S A
F O T B B T Z F E A S K P T I
```

ALCOTT	COLLINS	KING
BARDUGO	ECHOLS	MARTIN
BHAGAT	GAIMAN	MEYER
BLACKMAN	GOLDING	ROWLING
BLUME	GREEN	SPARKS
CABOT	HADDON	STINE
CARD	HOROWITZ	SUGG

282 Young Adult Literature

```
C S A T H E D E M O N A T A L
T U L E E N I L A R O C J O R
W J J N E B T L H Q K S R F P
I E N O R E Y A L P Y D A E R
L N R S Y F C E I S O E A I T
I D E Y A O E N T F D A B H S
G E R A D R M C T A I R E T N
H R E R U E R H L L V J A K W
T S D G M I E A E L E O S O O
R G N L P F B N W I R H T O T
T A A L L A M T O N G N L B R
W M W I I L E E M G E Q Y E E
W E E W N L M D E P N P R H P
S S H K A R E D N G T H Q T A
G N T T G I R L O N L I N E P
```

BEASTLY

BEFORE I FALL

CORALINE

CUJO

DEAR JOHN

DIVERGENT

DUMPLIN'

ELLA ENCHANTED

ENDER'S GAME

FALLING

GIRL ONLINE

LITTLE WOMEN

LORD OF THE FLIES

PAPER TOWNS

READY PLAYER ONE

REMEMBER ME

THE BOOK THIEF

THE DEMONATA

THE WANDERER

TWILIGHT

WILL GRAYSON

283 The Human Stomach

```
P L S R O U U I X E D T T E B
C R E L C S U M L N I E W T T
H Q O C L S D N A L G Y S N D
E P I T H E L I U M E M I O A
M M B E E U C G T T S Y S I N
I T U T F A R L U P T W L T V
C R P N R A S N A G I Z A P L
A E Z D E S E E A T V H T R O
L T I C F D R E S S E Y S O I
S A Z S U R O L Y P O I I S G
T W P K N F T U U D C R R B W
P A C I D E O S D A O C E A E
O E R C U L N O O L U B P S P
M J P I S Z I A D R J O S F A
G C C A T S N I M A T I V M E
```

ABSORPTION	DUODENUM	PERISTALSIS
ACID	EPITHELIUM	PROTEASES
BODY	FOOD	PYLORUS
CARDIA	FUNDUS	SEROSA
CHEMICALS	GLANDS	SEROTONIN
CHURN	MUSCLE	VITAMINS
DIGESTIVE	PARIETAL CELLS	WATER

284 River Words

```
A V E C A F R U S O F A S F G
A O Q U C E P G K S R L T F B
O L B R O O K S F V P U R Y N
U F E R T E L U V I R L E S U
R E T E S R U O C R E T A W U
K S I N L E N N A H C N M J B
E V Z T A Q B U G R I I L E T
M L C N U T U F F E P S S T N
A T A W U A L L U V I A L L A
A A E L A O O E O I T B L P M
R G L E W O R L D R A A I K O
R V S T D X U E P P T N R P U
T D A C S M O L N U I K S Z T
Z Z M C E R E W O P O R D Y H
W E T R Y E D R A I N A G E S
```

ALLUVIAL	DELTA	RILL
BANK	DRAINAGE	RIVULET
BASIN	FLOOD	STREAM
BROOK	FLOW	SURFACE
CHANNEL	HYDROPOWER	UPRIVER
CREEK	MOUTH	VOLUME
CURRENT	PRECIPITATION	WATERCOURSE

285 Sweet Breads

```
I E K A C E E F F O C P K P T
W H O T C R O S S B U N T E E
D K I N G C A K E M E T A N E
A A R I L I U V P T P C C I G
E S N K W E N K A S A D T F G
R H N I R S I G U K A P I F W
B O U N S N E S E E B C S U A
M R B W B H H T R R M A T M F
O T Y R I K P B S P B H B W F
M C E C I N N A M O N R O L L
A A N P R I U I S C T F E F E
D K O K S C O N E T N A T A L
R E H I Y E H C O I R B C O D
A T A H I N I R O L L Y P I A
C R L S E H C E C L U D N A P
```

BABKA	GINGERBREAD	PUMPKIN BREAD
BRIOCHE	HONEY BUN	RAISIN BREAD
CARDAMOM BREAD	HOT CROSS BUN	SCONE
CINNAMON ROLL	KING CAKE	SHORTCAKE
COFFEE CAKE	MUFFIN	SUSHKI
DANISH PASTRY	PAN DULCE	TAHINI ROLL
EGG WAFFLE	PICATOSTES	TEACAKE

286 Types of Noise

```
J U X Q Y L B P A K X J N O S
E G A M I G R U T D A A P P O
L A T N E M N O R I V N E E A
R U C L G L O I Z S E S R Y A
S S B L N I A D L O T K L J K
S S V D A L B N N K S Y I C D
K I W P R I A R O A C T N X I
U A T H C N C M T R R A X O T
T N C A I E L I R O U I R D H
O O D S M T R E F E R E N C E
X T J E A A E M B I H R N I R
E O S I N S O U E I T T W M E
V H G O Y C I O B E C R R S M
R P L L D W N C L T B E A O T
I O A I C R S S I J Y F D C O
```

ARTIFICIAL	DYNAMIC RANGE	PERLIN
BURST	ENVIRONMENTAL	PHASE
COMFORT	GAUSSIAN	PHOTON
COSMIC	IMAGE	RANDOM
CRACKLING	JANSKY	REFERENCE
DECIBEL	LINE	THERMAL
DITHER	NEURONAL	WHITE

287 Modern Family Episodes

```
V S L E E P E R R I L I S A V
H M S R O L O P O C R A M E L
L R F J B A B Y S T E P S F Q
T N M A F T H E W I L D P G K
H Y X H D M O T H E R L D O A
E T B A B Y O N B O A R D O E
V I S U I H S E W Y P I K D R
E R A T Q E M S D O I O Q G B
R G G P L R F A I T I B A R G
D E E M O O T H E F E U D I N
I T V T H E A L L I A N C E I
C N S S I K E H T F A N F R
T I A R T R O P Y L I M A F P
K L L P E R F E C T P A I R S
C T F L O J T X B E S T M E N
```

BABY ON BOARD	INTEGRITY	SLEEPER
BABY STEPS	LAS VEGAS	SPRING BREAK
BEST MEN	MARCO POLO	THE ALLIANCE
CLASH OF SWORDS	MOTHER!	THE FEUD
FAMILY PORTRAIT	MY HERO	THE KISS
GOOD GRIEF	PERFECT PAIRS	THE VERDICT
GRAB IT	PLAYDATES	THE WILD

288 Time Person of the Year

```
M H I U A L A N E H A R R I S
C P I T R D R V E T Q E P U I
N K L T N L C J Y D U S C X M
B K A O R L T O C L I M H E U
Z O I M I U U W I M N B R U D
K D T N A N L Z P C O K Y E C
E M T H G B K S H R E A S A A
N O O L U J O U A L A K L X I
N Y S S R N R O O S E V E L T
E E R B S C B A W I T U R R E
D T A A H A T E C I T R U C X
Y Z D I P C D T R U M A N G Y
I A L I N D B E R G H D R L M
T L M T C E D E G A U L L E P
R A M I S G A N D H I I D Q M
```

AQUINO	GANDHI	OBAMA
BIDEN	HARRIS	ROOSEVELT
CHRYSLER	KENNEDY	SADAT
CHURCHILL	KING JR.	SIMPSON
CLINTON	LINDBERGH	THUNBERG
CURTICE	MERKEL	TRUMAN
DE GAULLE	MOSSADEGH	YOUNG

289 Metamorphic Rocks

```
C M E C A T A C L A S I T E D
A L E T S I H C S N E E R G H
L M B T I D S E L B R A M S G
C E P D A G L S M W P W A W Q
F T H H E P O M U R E C H P M
L A Y A I T S L U J N I H Y I
I P L N W B A A C L T E L G G
N E L T Q S O L M E I O X S M
T L I H O F O L S M N S Q U A
A I T R S A O C I I I X G E T
T T E A S K H A T T T T N V I
R E W C L I A E T A E L E I T
T F K I S E G R A N U L I T E
O A E T E C T O N I T E S E Y
K A A E T I Z T R A U Q S T P
```

AMPHIBOLITE	GREENSCHIST	QUARTZITE
ANTHRACITE	MARBLE	SERPENTINITE
CALCFLINTA	METAPELITE	SKARN
CATACLASITE	METAPSAMMITE	SLATE
ECLOGITE	MIGMATITE	SUEVITE
GNEISS	MYLONITE	TECTONITE
GRANULITE	PHYLLITE	WHITESCHIST

290 Portuguese Dishes

```
W D B X D M P L S E H T K Y O
I I I D A I L V B S P S C P L
A U U E A P E N A P I Z R A M
L Q A A U A H L A C A B A R I
E S C A R G O T P H C C Y A L
T D O B R A D I N H A H T L H
R V R V S A P I R T F U O E O
I I A E O X S V B P R R R D F
A R D R V E F E V R E R R I R
P I A L C O D Y F S A A I B I
J P N N S M D S A R L S C A T
F I A O R B O L O D O C A C O
P R P B O H O H A I U O D W R
F I M X M I G A S C F D O J R
F P E R O E B D T Z H X E A A
```

ALETRIA	CHURRASCO	MIGAS
BACALHAU	DOBRADINHA	MILHO FRITO
BOLO DO CACO	EMPANADA	PIRI PIRI
BROA	ESCARGOT	SALOIO
CABIDELA	FIOS DE OVOS	SQUID
CAFREAL	FRANCESINHA	TORRICADO
CALDO VERDE	MARZIPAN	TRIPAS

291 1960s in Music

```
Y E L S E R P S I V L E F B J
V R E Z T H E B E A T L E S A
X I O R D O L L Y P A R T O N
J C N N A L Y D B O B Q B A I
I C A O T H E S U P R E M E S
M L R H S A C Y N N H O J P J
I A D N N Y L A T T E R O L O
H P C J O A N B A E Z B Q N P
E T O S R O O D E H T Z A G L
N O H L A U R A N Y R O T J I
D N E X D O S A T H E W H O N
R M N A N C Y S I N A T R A P
I J O N I M I T C H E L L P R
X A S F L E E T W O O D M A C
P U M V L E D Z E P P E L I N
```

BOB DYLAN

DOLLY PARTON

ELVIS PRESLEY

ERIC CLAPTON

FLEETWOOD MAC

JANIS JOPLIN

JIMI HENDRIX

JOAN BAEZ

JOHNNY CASH

JONI MITCHELL

LAURA NYRO

LED ZEPPELIN

LEONARD COHEN

LINDA RONSTADT

LORETTA LYNN

NANCY SINATRA

THE BEATLES

THE DOORS

THE SUPREMES

THE WHO

ZZ TOP

292 Leather Crafting

```
P R G X S N J A S O L V E N T
T E L L A M Y F W P K E S G S
J D R S T A M P I N G F A I L
A A C F A A W P V L N O P S B
V H R V O P B A E A I I I E R
A S P I W R S I L L V G N D R
S R T A Q P A N K C R I R R N
M A T V Y O R T N O A L E E E
T E X T U R E Y I H C J T N E
R P I G M E N T F O V K T I D
G A G N I H C T E L N K A E L
U U T I A Z L D P A X R P V E
E N L E K L R L T I R N V P T
A O O Y B T F T S A U L T Z E
P Z F D J U J A O E W J X K S
```

ALCOHOL	NEEDLE	PORE
CARVING	OIL	SOLVENT
DESIGN	PAINT	STAMPING
DYEING	PATTERN	SWIVEL KNIFE
ETCHING	PEAR SHADER	TEXTURE
FILIGREE	PERFORATION	VEINER
MALLET	PIGMENT	WATER

293 Multiple Pulitzer Prize Winners

```
T P U L R A E K L T T A A Y A
T K D Y U F Z S C J S P E Z T
J C B A R S T O W I O M E U D
X B A I L Y N U D P R Q B G M
F R R E D L I W C N F R L L V
Z H B W E T W R P H E E A L W
P S E P P S H U E R M M X W T
I L R T S A I O A N I A J I H
I A A T H N T R S I K C N L T
T T R A E D E Y L W G L E L R
R K Q A R B H E L R L E U I L
O T M R W U E R I E X I R A W
S S V Z O R A R E M T S K M F
E T S B O G D A N I C H L S V
I D L T D Y W C O N S Z L L B
```

ALBEE	FROST	SANDBURG
BAILYN	GUZY	SHERWOOD
BARBER	MACLEISH	TUCHMAN
BARSTOW	MENDOZA	WARRICK
BOGDANICH	MERWIN	WHITEHEAD
CARREYROU	O'NEILL	WILDER
FAULKNER	PRICE	WILLIAMS

294 Rainforest Flora and Fauna

```
R M O S S O R E C O N I H R D
L B O A C O N S T R I C T O R
R A X I A U D N A M A T Y G I
Q D R A R E T P O E L O C H B
R I R G L S L G O R I L L A N
T H R E E T O E D S L O T H U
Y C P C T F O T A B U U S U S
S R A S M L L U L E O P A R D
F O O K A P I Y C M N M J R E
I T A O C D E L I A T G N I R
K I N K A J O U R N N N W P A
A C R O W N E D E A G L E A L
S U B O L O C G N I K F M T L
G O R F T R A D N O S I O P O
S P I D E R M O N K E Y P X C
```

BOA CONSTRICTOR

COLEOPTERA

COLLARED SUNBIRD

CROWNED EAGLE

GORILLA

KING COLOBUS

KINKAJOU

LARGE FLYING FOX

LEOPARD

MOSS

OKAPI

ORCHID

POISON DART FROG

RHINOCEROS

RING-TAILED COATI

SCARLET MACAW

SPIDER MONKEY

TAMANDUA

TAPIR

THREE-TOED SLOTH

TOUCAN

295 Highest-grossing Films

```
T T Y J G E I A R G R N M R Z
I H R K U H K M Y N U G P O T
Z E E H U R O E R I S I F A U
Q A K G S N A S O K E J S L I
K V A O O O H S T N L G R A L
B E R T U D R S S O O Q S D T
P N N U T D F T Y I Q G S D Z
N G O V H E R A O L C V I I V
T E O H P G O R T E T P D N C
I R M C A A Z W R H R B A G K
T S Y U C M E A P T E M V R E
A W D P I R N R J N N R O E K
N A N B F A R S H I K L U A T
I J O I I A P U A Q O K Q S A
C P Y K C O R R A T A V A E X
```

ALADDIN	JAWS	STAR WARS
ARMAGEDDON	JURASSIC PARK	THE AVENGERS
AVATAR	MOONRAKER	THE GODFATHER
BEN-HUR	QUO VADIS	THE LION KING
FROZEN	RAIN MAN	TITANIC
GHOST	ROCKY	TOP GUN
GREASE	SOUTH PACIFIC	TOY STORY

296 Pigeons

```
G G K K M R S E H U V B O F D
T U U N A E L I H C V B U Z P
O E Y S I H I L L A U R E L M
E V E L N P R F P V V W A R X
V I L E M O N D O V E I R D J
O L L P Z U W M D R N R P S R
D O O W E S E N A P A J Y U A
K N W H I T E H E A D E D R R
C A L P N O N A R A M D E L G
O C E L S C A L E D Y U L E E
R I G M I K C U S Z Y E K I F
R R G R O D R I G U E S C M B
R F E D O O W Y H S A U E N L
Y A D P F V S B T O G M P P L
E E E I M E T A L L I C S A A
```

AFRICAN OLIVE	MARANON	SCALED
ASHY WOOD	METALLIC	SILVERY
CHILEAN	PINK	SNOW
HILL	PLAIN	SPECKLED
JAPANESE WOOD	ROCK DOVE	STOCK DOVE
LAUREL	RODRIGUES	WHITE-HEADED
LEMON DOVE	RUDDY	YELLOW-LEGGED

297 People who Inspired Awards

```
Q W R P X R I N A K L L V B S
A T F A D H M H O P P E R X Z
A N F B A E T P L S V R V Z N
F L O I R D I V L E K O O C O
S D C F W I L L E W K C A L B
A M H U I S P N R D I R A C E
M S R N N O S N E V E T S J L
W Y I S T N H Q U D P U B N S
R U S Y I O U P Q S S R V R R
X T T D A V I N C I A M Y I W
Y N I E T S N I E D A W A O L
A R E N W B L T B L Z M T R D
C S R N R E B U M F R U P R H
E W K E C U R T I S U T E X I
U T T K P Y A R A S I O H R L
```

BECQUEREL	DARWIN	NOBEL
BLACKWELL	DIRAC	PERRY
BRADBURY	EDISON	RAMSDEN
CHRISTIE	EINSTEIN	STEVENSON
COOK	HOPPER	SWIFT
CURTIS	JACKSON	UBER
DA VINCI	KENNEDY	WADE

298 Branches of Engineering

```
X V C I N O R T C E L E E W J
O E N O I T A M R O F N I E N
P H B O A A A A O G E U N L G
T I S S H G D A U R O C D R T
Q C G Y C R T E G S E L U R Y
G L E S Y I G Y I C G E S S G
A E R T L C N E P L A A T M R
O R A E P U I O L S P R R U F
U E W M P L N A R I H P I E Q
P T T S U T I X I T T A A L U
C U F K S U M L G S A X L O A
T P O W E R P L A N T H E R N
O M S Y R A T I L I M G C T T
A O B I O L O G I C A L A E U
T C E J O R P T H D F O L P M
```

AGRICULTURAL   INFORMATION   PROJECT

APPLIED   MECHATRONICS   QUANTUM

BIOLOGICAL   MILITARY   SOFTWARE

COMPUTER   MINING   SUPPLY CHAIN

ELECTRONIC   NUCLEAR   SYSTEMS

ENERGY   PETROLEUM   TEXTILE

INDUSTRIAL   POWER PLANT   VEHICLE

299 Art Movements

```
T C A D B X S M Y P P S O K L
S O R A B S T R A C T K D V T
I N T E R A C T I V E H K X K
N C E S U A H U A B P O U T U
Í E P T M A I L A T I G I D C
M P O H I O U R F S N Y X L I
E T V E S L T U U C U B A T A
F U E T T D T F R K U B C M I
L A R I E U Q O R A B B T K P
T L A C R F S L D Z S P I R F
Q R O I F U N K N U R N O S E
S A S S E M B L A G E I N P M
U M E M I E T A L T N U Q P V
J T P T A O S Y I S I R U T S
R P T Q R L S C E R F P U Z U
```

ABSTRACT	BAUHAUS	FUNK
ACTION	CONCEPTUAL	FUTURISM
AESTHETICISM	CUBISM	INTERACTIVE
ART DECO	DIGITAL	KINETIC
ARTE POVERA	FEMINIST	LAND
ASSEMBLAGE	FINE	MAIL
BAROQUE	FOLK	POP

302

300 Antiques

```
R K L S T I W G G X J E V A S
C Y T I R A R C Y X D Z I P B
J C L R L N O I T C E N N O C
R A K N G P M T I O S O T R O
W B U O Y B Y E L L I R A C N
S T A I F T C H I L G B G E D
U T E T C T T T E N L E L I
T R P C H F C S U C C A R A T
N Y T U A E B E T T O C A I I
I Y N A G O H A M I P I C N O
A B A P A O T A B O I G W L N
K I S K Q M R V F N N S D T I
L U G L X B F Z L S E L A S V
U T U F L T X H I Z S W Q O U
E F S E U L A V L H I J R E C
```

AESTHETIC	CONNECTION	PORCELAIN
AUCTION	DESIGN	RARITY
BEAUTY	MAHOGANY	SALES
BRONZE	MARBLE	UTILITY
CARE	OAK	VALUE
COLLECTIONS	OLD	VINTAGE
CONDITION	PINE	WALNUT

SOLUTIONS

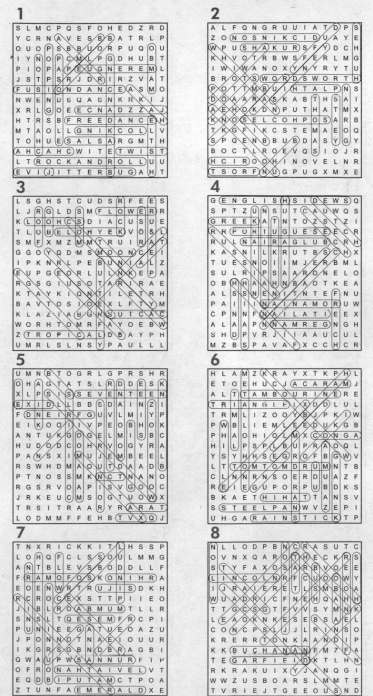

305

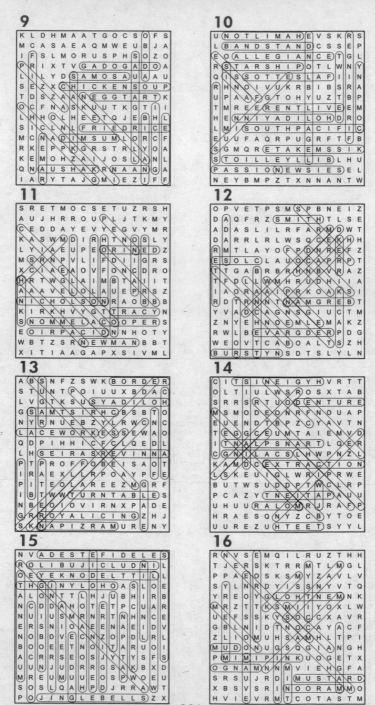

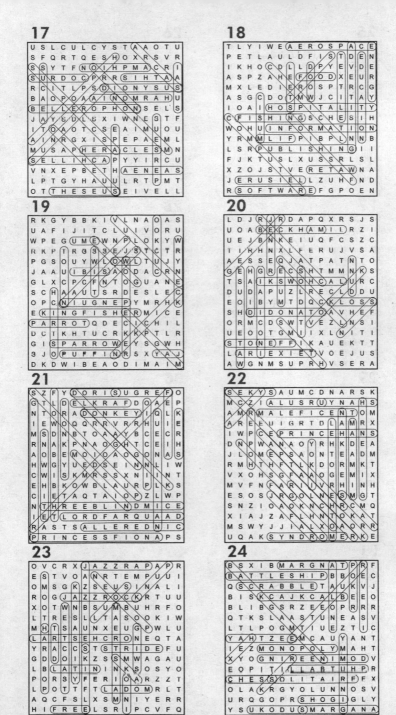

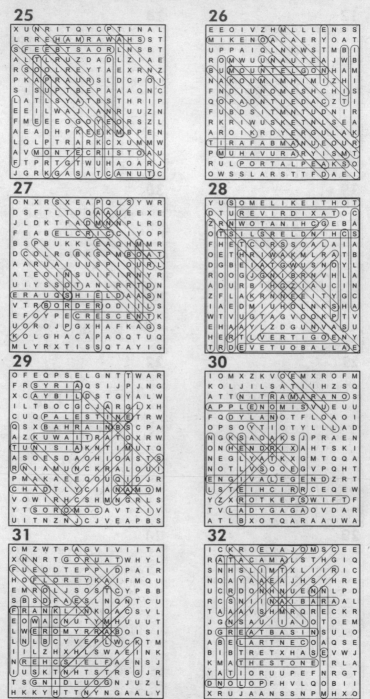

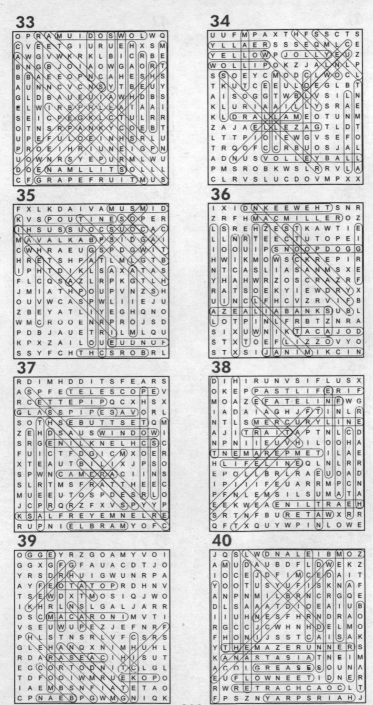

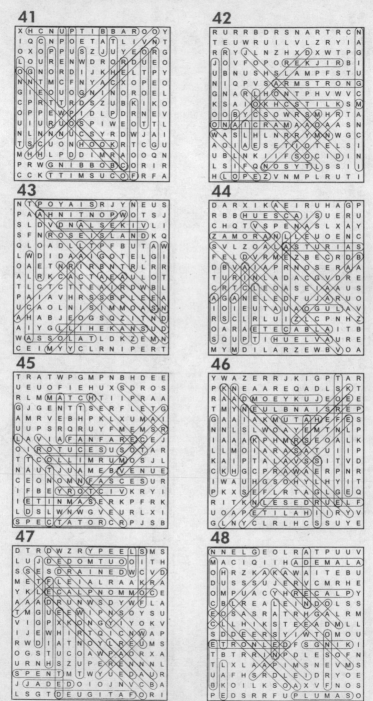

41

42

43

44

45

46

47

48

310

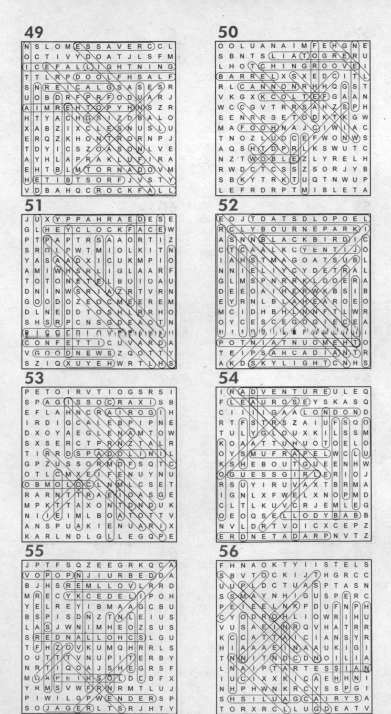

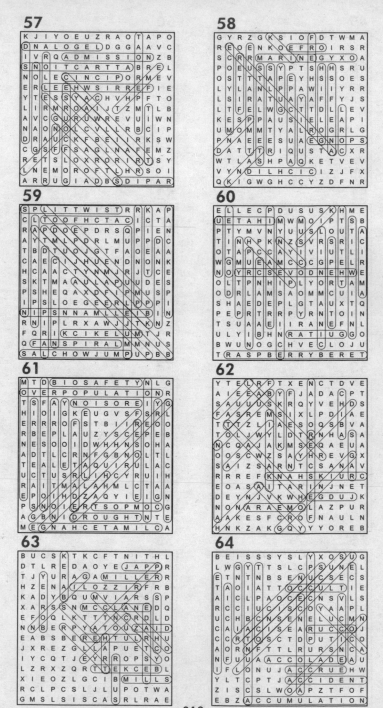

57

58

59

60

61

62

63

64

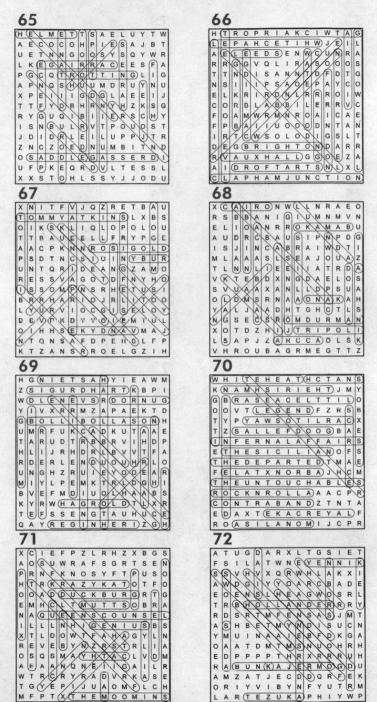

65

H E L M E T T S A E L U Y T W
A E C O C O H P I E S A J B T
U E T N N G O O S Y S Q Y W R
L K E G A I R R A C E E S F A
P G C Q T R O T T I N G L I G
A P N Q S H U U M D R U Y N U
X P E I I I G D G L A E E I J
T T F Y D B H R N Y H Z K S G
R Y G U Q I B I I E R S C H Y
I S N B U L R V T P O U O S T
J D I D R L E I L U P P J T R
Z N C Z O E D N U M B I T N D
O S A D D L E G A S S E R D I
U F P K E Q R D V L T E S S L
X X S T O H L S S Y J J O D U

66

H T R O P R I A K C I W T A G
L E P A H C E T I H W J E I L
A R G G V Q L I R A S O O O S
R T N D I S A N N T D F D T G
N S I I I P S A O E P A Y C O
E L K R I R D N L R R R O I W
C O R D L A B B I L E R R V C
F O A M W R M N R O A I C A E
F P B A I I U O O O D N T A N
I R T C W S O L O D I G S L T
D E G B R I G H T O N D A R R
R V A U X H A L L G G O E Z A
A I D R O F T A R T S N L X L
C L A P H A M J U N C T I O N

67

X N I T F V J Q Z R E T B A U
T O M M Y A T K I N S L X B S
O I K S K L I Q L O P O L O U
T T B A U E L L F R Y P G E
A A C P K N N R O S I G O L D
P S D T N C S J O I N Y B U R
U N T Q R I D E A N G Z A M O
R E S S V A G O T D F N Y H O
I S S O M P N S R H E T U S I
B R R H A R I O J R L I T O O
L Y U R V I O C G I S E L O Y
D E V I K D Y Y O I E M I U L
O I H H S E K Y D N X V M A J
N T Q N S A F D P E H O L F P
K T Z A N S R R O E L G Z I H

68

X C A I R O N W L L N R A E O
R S B B A N I G I U M M V N
E L I O A N R R O K A M A B U
A U D R C B A U S I P N P D G
I S J I N C A B R A I W D T I
M L A A A S L S E A J O U A Z
T L N N L I E E I A T R D A
V K T E B D X N G D A E L O S
S V U A A X A N L L D P S U A
O L D M S R N A A O N A K H
Y A L J A A D H T G H C T L S
N G S E C S R O M D U R M A N
X O T D Z H I J T R I P O L I
L S A P J Z A R C C A O L S K
V H R O U B A G R M E G T T Z

69

H G N I E T S A H Y I E A W M
Z S I G U R D H A R T K B P I
W D L E N E V S R D O R N U G
Y I V X R R M Z A P A E K T O
G B O L L I B O L L A S O N H
U M R F U K C A D K U T A A E
T A R U D T R B B R V I H D P
H L I J R H D R L B V V T F A
R D E R L E N D U O U H R L O
U N G H Z R U I E Y O O E A R
M I Y L P E M K T X L D G H I
B V E F M D I U O L H A A B S
K Y R W H A G R O L D T L X R
T E F S S E N G T A U H U C E
Q A Y R E G I N H E R I Z G H

70

W H I T E H E A T H C T A N S
K N A M H S I R I E H T J M Y
G B R A S E A C E L T T I L O
O O V T L E G E N D F Z R S B
T Y P Y A W S O T I L R A C X
T Z S A L L E F D O O G B A E
I N F E R N A L A F F A I R S
E T H E S I C I L I A N O F T
T H E D E P A R T E D T M A E
F E L A T X N O R B A J H C M
T H E U N T O U C H A B L E S
R O C K N R O L L A A A C P R
C O N T R A B A N D Z T N T A
E D A X T E K A C R E Y A L F
R O A S I L A N O M I J C P R

71

X C I E F P Z L R H Z X B G S
A O S U W R A F S G R T S E N
P R N F K N O S Y F T P U S O
H O T R K R A Z Y K A T O T F O
O O A D D U C K B U R G R T G
E M H C L T M U T T S O B R A
N A Q U E E N S C O U N S E L
I L L L N H I G E N I U S B S
X T L D O W T F A H A G Y L N
R E V E B Y N Z S R L I A
O S Q S M A Y H X A C L V D M
A F A A N Q N E I O A I L R
W T R C R Y A H V R A E L C H
T G Y E P I J U A O M F L C H
M F P T X T H E M O O M I N S

72

A T U G D A R X L T G S I E T
F S I L A T W N E Y E N N I K
S S V H V X Q R W H L A K X I
A W D G I Y Y O A R C B A D E
E O E N S L H E A G W O S R Y
T R B H O L L A N D E R R R Y
R D S R T M F E N S A S J M T
A S H B E T M Y N D I S U C N
Y M U I N A A I E B F D K G A
O A A T D M T M S N U O H R H
E D P P P P T H R X R R R U H
R A B U N K A J E R M O G D Y
A M Z A T J E C D D Q R F E K
O R I Y V I B Y N F Y U T R M
L A R T E Z U K A P H I Y W P

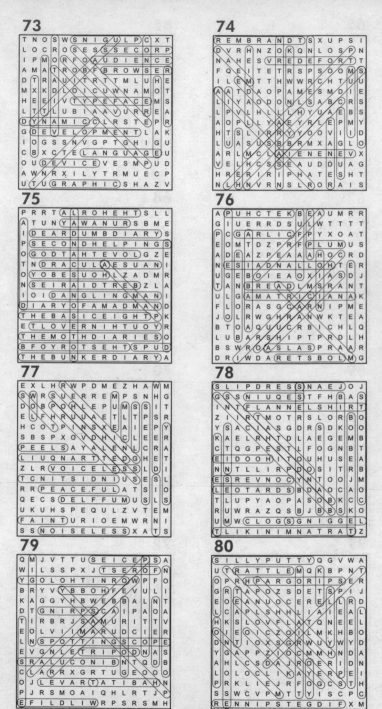

314

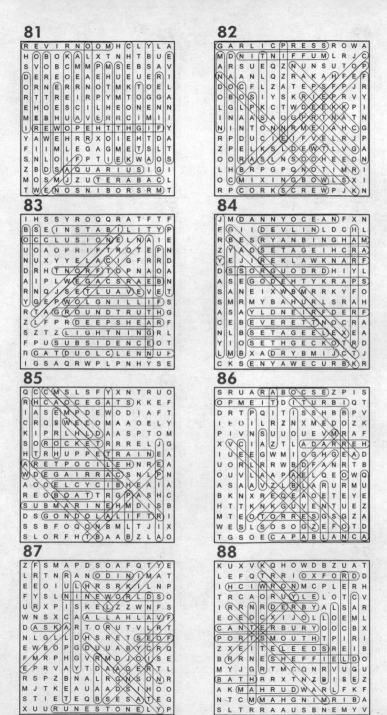

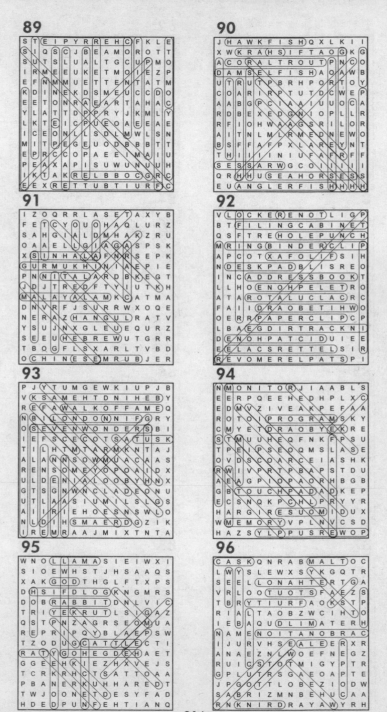

89

90

91

92

93

94

95

96

316

97

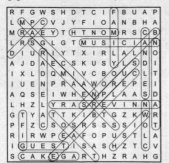

98

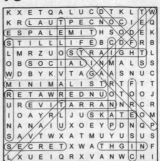

99

100

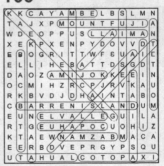

101

102

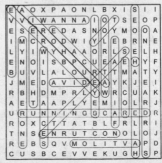

103

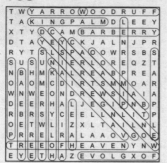

104

105

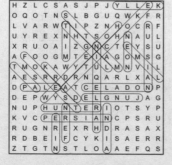

106

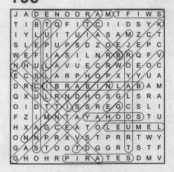

107

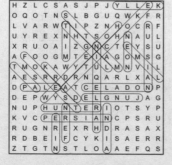

108

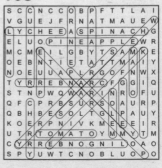

109

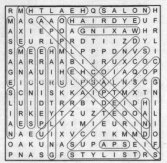

110

111

112

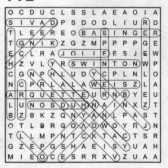

113

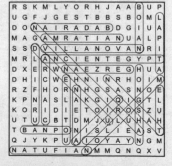

114

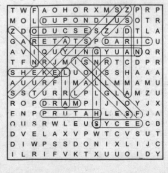

115

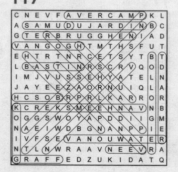

116

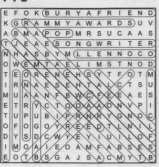

117

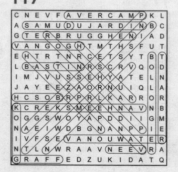

118

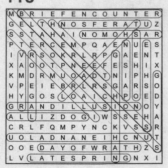

119

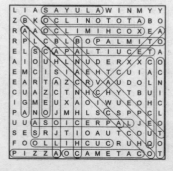

120

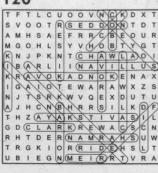

121

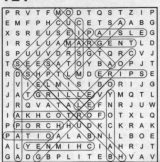

122

123

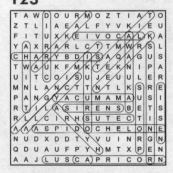

124

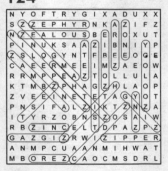

125

126

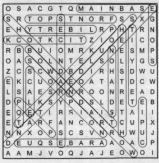

127

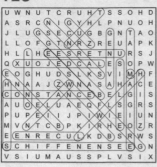

128

129

130

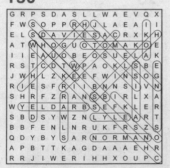

131

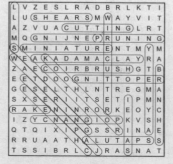

132

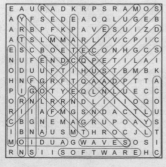

133

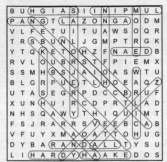

134

135

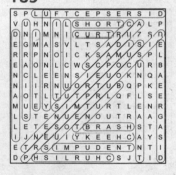

136

137

138

139

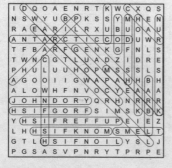

140

141

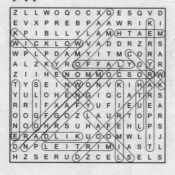

142

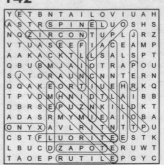

143

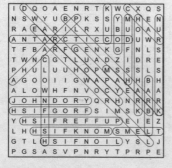

144

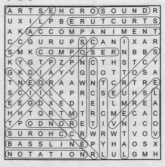

145

146

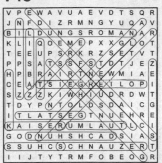

147

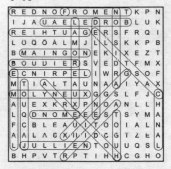

148

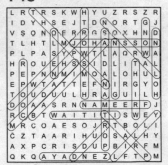

149

150

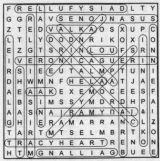

151

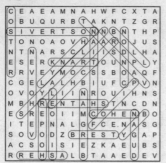

152

153

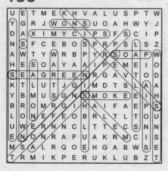

154

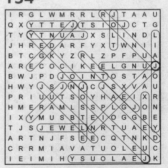

155

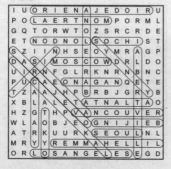

156

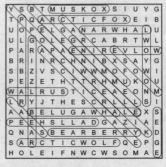

157

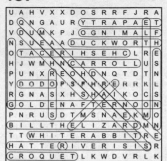

```
U A H V X X D O S R R F J R A
D Q N G A U R Y T R A P A E T
V D U M K P J O G N I M A L F
N S U E A D U C K W O R T H
O T A C E R I H S E H C L R E
H J W M H N C A R R O L L U S
P U N X R E O H D N Q T D T N
Y D O D O P S F H R E R R K L
R G N A S X H S H A I K O C S
G O L D E N A F T E R N O O N
P N R U S D T M S N A E K M O
B I L L T H E L I Z A R D M N
T T W H I T E R A B B I T R E
H A T T E R I V E R I S I S R
C R O Q U E T L K W D V R L K
```

158

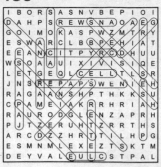

```
I B O R S A S N V B E P I O I
D A H P S R E W S N A O A E G
G O I M O K A S P W Z M T R Y
E S W A R C L B B P E H I A T
E E A N C I T P Y R C D H U U
W S O A U I X I V I S I Q E E
L E T G E Q L C E L L T L S R
J N S R E P A P S W E N I E H
R A G A A N S H P T H K K S U
C P A M E I A K R R H R I A H
R A U R O D G L E N Z A P R H
P J T Z E R U H T Z R R T H S
A R C D Z Z H R T T I L H P G
E S M N M L E X E Z T S K T M
D E Y V A L E U L C S T P A L
```

159

```
H U F J S S O M W O L L I W A
A L G U L I Z A R D S T A I L
I W Y H E L Z I N E P U R A A
R W B A N A N A P L A N T L W
G S U T O L R E G I T T X A A
R R Q U I L L W O R T S T T T
A N R E F A V A J Q E E A O E
S S O M S A M T S I R H C R R
S S O M A V A J T L D C L F V
R H D U C K W E E D O R T R I
S S A R G R A T S A C E G A O
Y D O L I A T X O F K T V W L
Y D A I L U B M A F R A W D E
W S A K C R Y S T A L W O R T
W A T E R C A B B A G E D Z J
```

160

```
G R E A S E K U M F S S B T Z
X O A V R Y C O R W L E A U O
T W D S O D O Y A S E D T U H
S L N S I L R K L M E N O U T H
Y S A I P N F C E L H O U T H Y
A Z B H R E O O S R R L T E S P
S T E P O K L R T G E B N O N
F R H M C I O L A U V Y F A N
M A T E K N O L T I O L H P A
S O U M O G H I I G D L E E C
C S I U F K C W V H A A L M I I
R H T I A O S E E X E G L A R
Q R E N G N A W I V H E Q N E
C Z L S E G U O R N I L U O M
Y A R P S R I A H H S F D T A
```

161

```
D Q D K S G C L F K E T O O E
T N Q L M A S R O D E I E B L
O I E S E L V T U J B B A M T
L S B W T I P A D S R R S O N A
S A A U S L F L S Y T O S L A
T B A W Y E M C A I P C O O M
O S P K S O W A I N H I F C L
J I R L R N F B D T E R K I P
B R O M A N G O D R E T W P P
A O C E L I M E S S E N G E R
S L K A O A N T C L B E G B C
A Y S S I S C S H I U R U C M
N C P T E P S U I R U C R E M
P I C A S S O C R A T E R S E
B R D E K C O L Y L L A D I T
```

162

```
D B R A N S F I E L D R H F H
M U M U S A N L U T K V T Q I
A K X Q M R N M O W A I S P N
W O R N R L Y S D K A T T Y S
S R O O A L A E E R V Y I O R
O B N D R M M R A N O T I E C
N N A B V M A C K E N Z I E R
E M R A E D C N Y A E C I R I
S Q L N G D K A A A L U I A P
D V L C R C I E R H K E T C F
N P O R O D N V F T A C A N I I
U M P O E K T I I M U A V R
M Z K F W G O R L T X E P M O
A R C T O W S K I A B O R Q Q
P M U L L A H S R A M H S A S
```

163

164

165

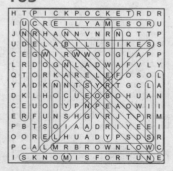

166

167

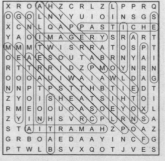

168

169

170

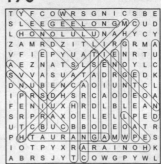

171

172

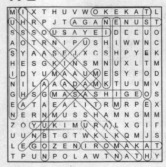

173

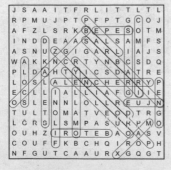

174

175

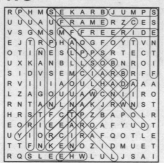

176

177

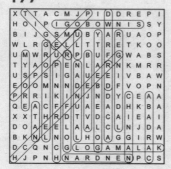

178

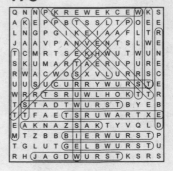

179

180

181

G	W	X	F	L	E	M	I	N	G	S	R	P	K	S
R	N	T	B	N	A	G	V	F	V	N	T	O	S	X
I	N	I	V	N	D	H	C	R	E	H	T	E	O	N
V	N	A	T	E	U	Z	T	T	E	G	D	O	L	B
E	F	R	A	N	K	L	I	N	L	T	O	T	M	I
S	O	S	O	A	A	U	X	S	E	L	L	N	U	T
U	P	U	N	R	C	B	F	U	D	S	T	O	K	Q
O	R	D	U	H	M	A	C	I	N	T	O	S	H	Y
H	O	B	U	C	R	B	L	S	E	I	T	R	I	Z
I	Q	T	B	O	U	B	L	L	M	B	I	E	N	I
J	I	Q	X	C	R	A	F	E	S	B	R	D	A	U
J	L	I	E	O	M	G	B	C	N	A	E	L	P	H
Q	Y	L	W	A	S	E	C	B	D	B	N	A	G	G
T	P	N	R	S	A	T	A	C	E	V	E	A	A	S
Q	F	R	O	C	V	A	M	Q	X	A	B	U	R	V

182

R	R	K	A	L	E	I	D	O	S	C	O	P	E	H
E	T	E	T	F	A	R	C	R	E	V	O	H	O	S
D	R	B	L	A	W	N	M	O	W	E	R	Y	R	T
I	P	U	H	I	N	S	U	L	I	N	L	R	C	E
L	F	N	T	A	P	W	A	O	N	I	S	O	L	R
G	U	S	A	C	E	E	Q	Y	G	W	N	M	E	E
G	E	E	W	R	I	B	N	H	M	T	A	E	V	O
N	L	N	G	A	G	P	T	I	A	R	X	M	D	G
A	C	B	O	N	T	B	N	C	C	P	B	H	Y	R
H	E	U	Z	H	U	E	T	O	H	I	A	S	N	A
K	L	R	Q	L	P	L	R	S	I	C	L	A	A	P
R	L	N	B	M	E	E	N	B	N	T	I	L	M	H
A	A	E	J	N	C	E	L	O	E	L	O	F	I	E
T	V	R	S	U	D	U	M	E	R	D	W	M	T	N
R	A	L	V	E	K	R	X	P	T	I	N	S	E	E

183

A	E	N	O	R	E	Y	A	L	P	Y	D	A	E	R
H	F	Z	T	R	L	Y	T	O	A	T	G	Q	L	I
A	V	E	H	R	A	E	D	R	S	N	P	D	P	R
T	D	B	E	R	Y	T	I	D	E	A	O	R	Z	H
Q	Y	L	M	D	O	A	V	O	N	R	R	I	P	E
H	X	I	A	A	R	M	E	F	I	E	Y	B	C	L
L	A	N	Z	D	E	K	R	T	G	D	X	G	E	I
M	R	D	E	N	L	C	G	H	N	R	A	N	L	O
E	O	F	R	A	T	E	E	E	E	I	N	I	C	P
H	L	A	U	T	T	H	N	F	L	S	D	K	R	O
T	E	I	N	S	A	C	T	L	A	I	C	C	I	L
N	H	T	N	E	B	L	U	I	T	N	R	O	C	I
A	T	H	E	H	U	N	G	E	R	G	A	M	E	S
L	A	I	R	T	E	H	T	S	O	U	K	P	H	P
P	R	S	H	A	T	T	E	R	M	E	E	F	T	L

184

K	I	S	S	J	A	U	O	A	N	T	F	A	Z	E
F	C	F	W	V	Y	E	N	D	I	K	O	D	F	N
V	R	I	I	R	V	S	T	L	R	D	X	A	I	D
M	N	V	K	N	E	E	L	O	T	D	R	P	H	K
E	T	S	A	I	I	J	P	V	A	M	A	Y	Q	Y
W	L	E	R	T	S	E	K	A	S	P	E	E	K	A
U	Q	T	A	A	J	I	I	P	N	F	N	K	N	Q
A	Q	Y	T	R	N	W	T	R	T	Y	N	P	O	K
T	Y	L	E	E	K	T	T	Y	R	O	T	D	W	A
L	A	E	T	K	K	G	E	T	C	L	N	E	L	T
K	B	I	T	H	G	I	N	K	U	U	S	K	E	E
F	C	Q	T	X	O	J	P	I	R	A	U	T	D	U
F	S	E	Y	A	A	K	I	N	D	L	I	N	G	O
R	A	J	O	A	P	P	F	G	N	K	T	O	E	U
T	D	U	E	S	P	U	K	H	R	M	F	N	S	P

185

D	Y	L	T	T	D	A	S	C	H	A	R	T	S	A
N	W	A	R	H	R	B	A	B	Y	A	R	S	R	S
P	I	L	E	Z	T	B	T	O	R	I	I	F	C	U
C	M	N	V	T	O	V	U	S	O	Y	W	U	K	T
G	O	B	E	R	T	P	Q	M	A	I	E	P	S	K
I	S	T	G	H	V	T	F	U	L	O	O	L	U	E
L	J	R	G	R	A	F	P	L	L	D	N	E	L	K
L	D	U	E	G	C	D	S	P	H	E	R	M	P	E
O	A	O	R	L	H	B	I	A	G	T	S	I	I	A
U	L	C	M	L	E	N	G	L	E	N	A	D	A	L
G	K	S	O	N	R	T	U	N	O	S	S	A	M	Q
G	A	X	T	S	O	Z	C	O	C	H	E	T	Q	G
R	H	M	A	T	T	H	E	Y	P	R	T	L	R	O
U	W	A	E	P	F	E	D	W	T	A	K	E	E	F
F	R	E	D	N	A	L	I	W	V	H	T	U	T	S

186

T	A	L	I	Z	Z	I	E	C	Y	R	S	M	P	D
T	S	L	F	O	R	D	V	F	E	R	R	A	R	I
C	H	E	R	N	O	B	Y	L	V	S	A	S	R	C
A	T	H	E	G	L	O	R	I	A	S	V	T	T	K
P	N	S	T	T	H	G	H	M	R	M	H	A	P	I
O	J	B	E	H	A	U	E	R	W	E	R	R	T	N
N	A	M	I	E	M	R	X	N	T	I	J	D	R	S
E	K	O	R	A	I	T	I	W	I	T	R	U	H	O
C	X	B	R	C	L	M	O	Y	O	U	Q	S	D	N
I	I	L	A	T	T	P	A	V	W	I	S	T	G	Y
V	Z	L	H	K	O	O	R	N	E	E	R	G	Q	A
A	E	F	W	P	N	P	L	T	K	X	F	I	P	A
R	A	B	E	A	U	T	I	F	U	L	B	O	Y	M
H	S	S	U	E	E	S	Y	E	H	T	N	E	H	W
L	H	O	Z	R	X	P	R	E	Z	I	Q	O	A	G

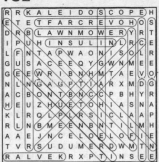

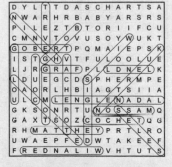

187

188

189

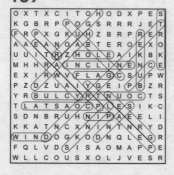

190

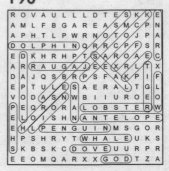

191

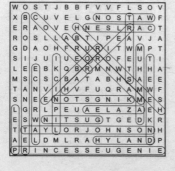

192

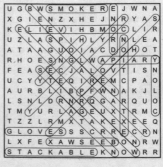

193

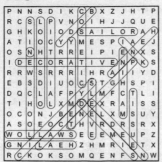

194

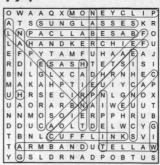

195

196

197

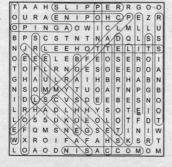

198

333

199

200

201

202
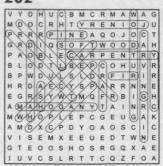

203
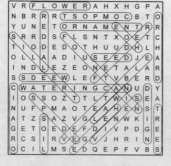

204
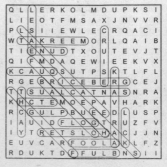

205

206

207

208

209

210

211

```
V S M O T H E S H A D O W Z N
A M S L A V O L P E Y G D J H
S A U L G O O D M A N R L E Y
N D M Z O R R O L Y Q O I F R
O N N H U T D Z K D E G U D P
P A A R Y R S E K P R S U F B
R E U G H N A T V N K R X U R
T K Y E A L D O B H C C R K A
H D N V U T L E Z R O Q B E H
O E T C D D R Q R R L S R S S
S R A S E G S A T H O S F I N
A R A M I S T P D P I G Z L A
D O O W T S A E T N I L C V L
E R V S C H U C K F I N L E Y
T D L E R V S A T S L X E R D
```

212

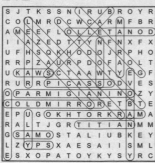

```
S J T K S S N I R U B R O Y R
C O L M R D C W C A R M F B R
A M E E F L O L X E T A N O D
I I A Z E D T T Y N F N X F X
U F H S Q X H O D O J P R H O
R R P Z A U R P D O F A O L T
U K A W S C T A A W T Y E G F
R U R P I C A S S O D V E S
O P A R M I G I A N I N O Z Y
C O L D M I R R O R E T B T E
E P U G O K H T O R K R A M A
R A L T J G R T I T I A N M M
G S A M O S T A L I U B K E Y
L Z Y P S X A E S A I I S M L
E S X O P A T O Y K Y S Y R C
```

213

```
I K A I S E R D O M T O R E N
S K H W T L N A J E G N A L L
E R M C W R E T S N I M M L U
D E H C R I K I D L O N I E R
I K H C R U H C E V I T O V E
L E H C R U H C S Y R A M T S
A T F Z W E O C S T O L A F T
V O K I A L O K I N T S Y H J
N R H C R U H C A R A L K D A
I G S T L A M B E R T I P L C
S T B A R T H O L O M E W D O
E H C R I K T K R A M P P X B
L K R E K I N I T R A M Y T I
R E T E P T S A E R D N A T S
V D I J O N C A T H E D R A L
```

214

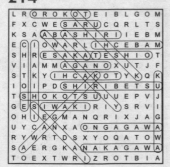

```
L R O R O K O T E I B L G O M
F X C W E S A R U C Q R L T S
K S A A B A S H I R I I E B M
E C I O W A R L I H C E B A M
S H R E S A K A T E S H I O T
V I A M M A G A N O X U T J F
S T K Y I H C A K O T Y K Q K
I O I P D S H I R I B E T S U
T S H O K O T S U U U E P V J
G E S I W A K I R I Y S R V I
O H I E G M A N Q R I X J A G
U Y C A N X A O N G A G A W A
R Y W R T D S X Y O Q A T O W
S A E R G K A N A K A G A W A
T O E X T W R I Z R O T B I A
```

215

```
K L T P U C D I K H D O Z R R
H A M C E Q H R E T A K A T Q
P M J A P A N A O A A A D W R
B S R V R F N R N K U M T L S
M R A O A T A K E X D O W N P H
Y C N E I C I F F E S A E V S
P R S K W Y D A T E R P N R P
J U J M C X A Q L J U D O G I
W D J I G O R O K A N O P V T
E F F O R T L A E C R U P V T
A S Y B L U A T N U P T O O Q
P Z S T R I K E N D L M I O Q
O C I H S U Z U K I O U S W R
N X L J C K T Q S W O R H T O
U P S I S O F E E T W J I A V
```

216

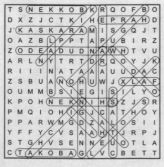

```
T S N E K K O B K R Q O F B O
D X Z J C T K I H E P R A H D
J K A S K A R A M I S G Q J T
O A Z B L P P T A P U B I R Z
Z O D E A D U D N A W H H T V U
A R L N Y T R T D R Q O Y J K
R I I N A T A A A U U D A C
Z S B U A N O H U W J X L A F
O U M M B S I E G I S Y U O
K P O H N E K N I H S Z J S R
P M Q I O H I G J C A T H O Y
P P A R W M G D Z A L O S I I
Y F F Y C V S A N N E U O T L A
S T G H V S E N N E U O T L A
C T A K O B A G L V C B E T T
```

217

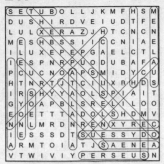

218

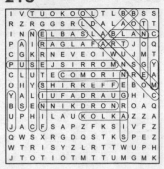

219

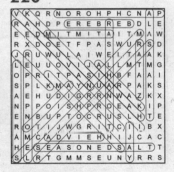

220

221

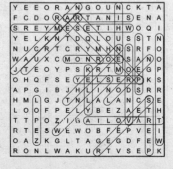

222

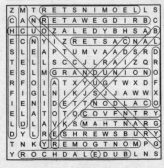

223

224

225

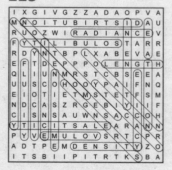

226

227

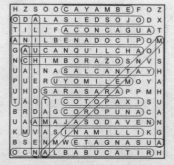

228

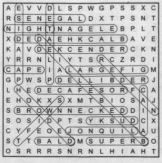

229

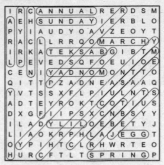

```
I R C A N N U A L R E R D S M
A E H S U N D A Y I E R B L O
P Y I A U D Y O A V Z E O Y T
R A C L L R R Q O M A R C H Y
I R K A T E K S A B G I B T M
L P E V E D S Q F O E U I O E
C E N I Y A D N O M O N T T O
Q I T T P Z A D N E A S A A Q
Y V T S S X F L P I U L N T S
A D T E Y R O K T C O T I U S
D X G F I I P S X C N B S Y Y
I L A D Y L I L O E B E T Y J
L I A O K R P H L A J E G G T
O Y P I H T C L R H W R T E O
H U R C F T L T S P R I N G P
```

230

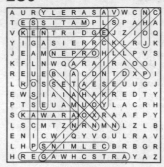

```
A U R Y L E R A S A V W C N C
T E S S I T A M P L S P A H A
V K E N T R I D G E J Z I O Q
Y I G A S I E R R C K L R J K
J E A M N E P R O H L L P V S
K F L N W Q A R A I R A O O I
R E U E B I A C D N T D X P I
L R O S S E T A E S E U U G J
E W S I A I A H A K R E D T Y
P T S E U A M U O Y L A C R H
S K A W A R A X X R A A F P Y
L S C M T Z N R N M N L Z L B
E N I C W I Q Y V G U L R A V
L H P S N I M L E C B R B G R
H R E G A W H C S T R A Y A Z
```

231

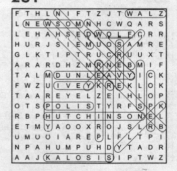

```
F T H L N I F T Z J T W A L Z
L N E W S O M N H C W Q A R S
L E H A H S E D W O L F C R R
H U R J S I E M U O S A M R E
G L K T I P T R U C R U U X T
A R A R D H Z M R N E B M I F
T A L M D U N L E A V Y I C K
F W Z U I V E Y K R E K L O K
T A A R E Y E L Z E I H L O P
O T S P O L I S T Y R F S P K
R B P H U T C H I N S O N E L
E T M Y A O O X R O J S L R B
U M U U I A R E P L F L T P I
N P A H U M P U H D Y T A D R
A A J K A L O S I S I P T W Z
```

232

```
B F C V C R O O K K C O D D A H
G N I B U T S L L I R R E M S
A E O S J R T I N E D D A N A
T T K R S L B V S E W B H A W
S H C N I R C N P A C W A R G
P Z C A P N T U R B O T B O U
I T G E Y E S D R I B C D C P
J A K O B S K I B A U W R R T
K N R O H E L G N E E Z U O T
T A J O N A S G R U M B Y C J
A R A W O R R A P S K C A J I
M J A M E S H O O K G E Z Q B
I Y E R B U A K C A J J C P O
E D R R Q Y D V I M W L B O O
A K N G X E I R R U Q D H I O
```

233

```
S S S R U S A L T F T A D F A
G H O V S A T I N W E A V E Q
E S U R K W F P T R V B D C G
P E T T E X T I L E A E Q A L
A M M A T N H L H U E Y S L R
S O U F X L R E B R W D X R U
I O T F S H E D D I N G R E U
A L C E U E A R C D I F R T I
T K I T D D O A S A S X N P P
T P R A W D N U T Y L A Z I I
P M G E N L E Q R H P J C L R
W C J X H E D C F K U K P P N
M O B H V W S A W L P L U O L
L H A R C R N J S K M P Q P F
U H I O R O K D T I E N F S S
```

234

```
A S A G R A N T I N O C A Q U
R R A N U R A G U S R N C W T
N A E A R E B R A B A A A Q O
E F L N P F K N S G M L G T N
I N V R A E G O C R A B P N A
S V E R D I C C H I O O I E I
A Q R R O O S O I Y R T N B C
N Y M V O O L A R V G A O B L
I N E E L D W C V I E C T I U
R S N C T A A Y E L N S G O P
E M T I R R P V Y T A O R L C
S C I P I G A T O F T M I O T
A N I V R O C G L P O G V N O
A V O T T A R R A T A C I B O
P W H T R E B B I A N O N N M
```

235

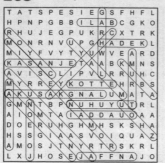

```
T A T S P E S I E G S F H F L
H P N P G B B I L A B C G K O
R H U J E G P U K R C X T R K
M O N R N V U P G H A D E K L
M I Y F V Y T Y U W V E A R D
K A S A N J E T A A B K M N S
A V I S C L I P V L R R U H C
M Y R R E Y K O T T E H R B S
A K U S A K G N A L U M A T A
G M N T B P N U H U Y U T R L
A I O M T A I A D D A U O A A
D O E R U H G H M H S K S H A
H S S G I A A S V O I Q U A Z
A M O S J T N Y R T R S K R L
L X J H O S E J A F F N A J O
```

236

```
I O A N A L Y T I C A L K K E
M E D I C I N A L F D A D N P
O F B A L C E Y R E W C V H O
L S I T U I U R X M R I O P L
E P O S S N R T L T R T M A Y
C E P O T A O S H O O E A M E
U C H L E G C I N C R R T I M
L T Y I R R H M H A O E N A M
R A R S D L O E E U E E E R U
O I S T H M H K M L H I G T
S S C T I I C A I C T A R O N
X C A A S O S O X S U I L O N
U O L T C I T E H T N Y S O A
G P R E V B R G G R E E N I U
Y Y R E V D Y E S Y W R I B Q
```

237

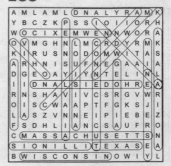

```
U O T O H S K N A B P W G F I
T D E P T T H W I L O G T E U
R E V O S S O R C I O P O G R
E D I R H E O A D N Y O V U Z
V R R D U F K P A D E W I B R
M P D A F P H R H A L R Z C U
R S N E L G O O E S A U Y K Y
E T A T E R T U H S M P R D A
W E N E A B A N T D P A E O W
O P I C K A N D R O L L E O A
P T P L L O R R E G N I F R E
Z U S V H D E M V R I I W S D
G I V E A N D G O K C P H C A
O Y T P U M P F A K E R Z L F
```

238

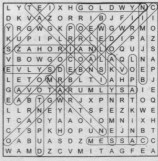

```
A M L A M L D N A L Y R A M K
Y B C Z K P S S I O I I O R H
W O C I X E M W E N N W O R A
O V M G H N L M C R D Y R M K
K I R U S N O D O M W I T A I
A R H N I S U F N E G A A I A
D G E O X A I Y N T E L I N L
I I D N A L S I E D O H R E A
R N S H A V I V C S R G V W R
O I S C W A A P T F G K S J I
L A S Z V N N E I P I E B E Z
F S D H L I A N C S A U F R O
C M A S S A C H U S E T T S N
S I O N I L L I T E X A S E A
B W I S C O N S I N O W I Y L
```

239

```
M P E Y V V U S V X K W S S Y
Q U L L A I I T J B L E D J L
J C I A V V T X C Y P W T S L
S T M T D T E D B N R E W T H
S N E E Z I N G Q I B U D W W
H L T X Y U J H B K W C A H R
N A S H E L L F I S H S E I F
B T Y V I N O S I O P A R L C
R E S F S D I O R E T S G G E
T M E T E T N M S T A W X L I
S T N A U V R E A C T I O N S
T M U U O N E R O T P E C E R
S J M I L K A R M O S I R N L
F G M P O L L E N K H I V E S
G N I L L E W S P A K H H A X
```

240

```
L Y T E I X H G O L D W Y N C
D K V A Z O R R I B J F I I
Y R G W G K P O E W G W R M O
K U P I P L R R L E D I P A Z
S Z A H O R I X A N L O Q U J S
V B O W G O C O A L A Q U N A P
E V L Y S D E B N S K V O E A P
L E T O M R B L T I A H P B J
G A V O T X A R U M L Y S A I E
E A B T G W R J X R E N R T O Q
L L R N E Y A T S F E Z K W X H
T C A O Y A A O I O M N I X H
C T S P K H O P U N E J R S B
O A B U A S D Z M E S S A C C
W A M D Z C V M I T A G F E A
```

340

241

242

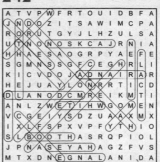

243

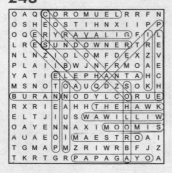

244

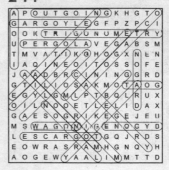

245

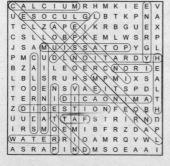

246

247

248

249

250

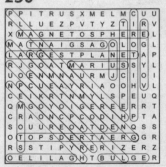

251

252

253

254

255

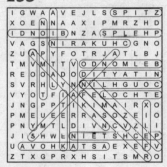

256

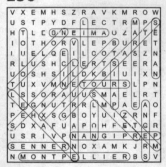

257

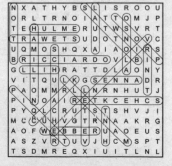

258

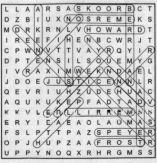

259

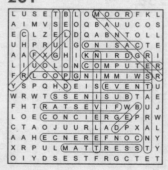

260

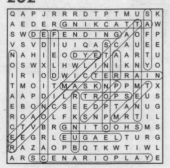

261

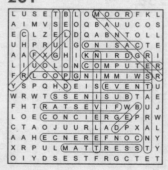

262

263

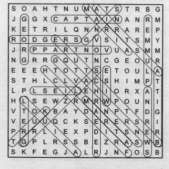

264

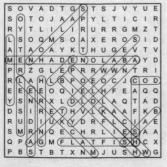

344

265

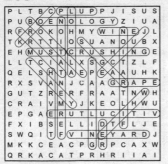

266

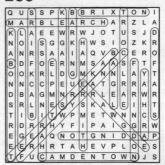

267

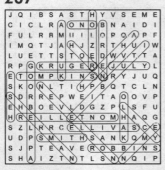

268

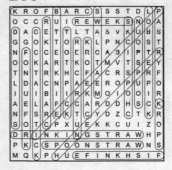

269

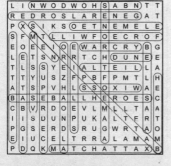

270

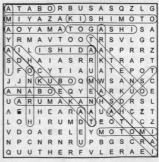

271

272

273

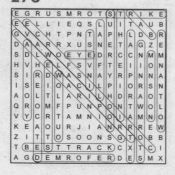

274

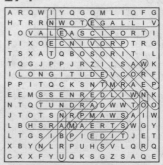

275

276

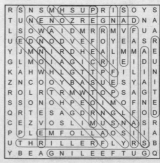

277

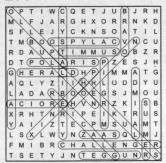

278

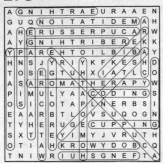

279

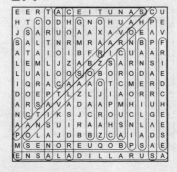

280

281

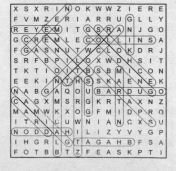

282

283

284

285

286

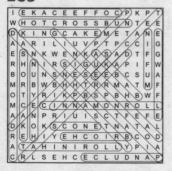

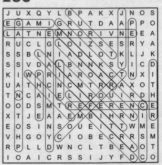

287

288

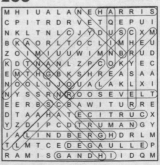

289

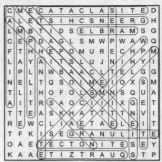

290

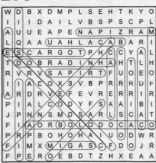

291

292

293

294

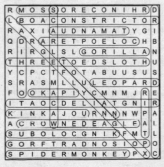

295

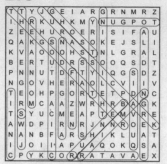

296

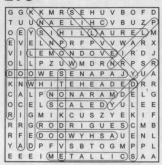

297

298

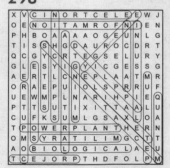

299

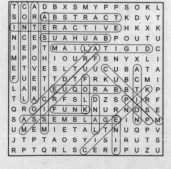

300

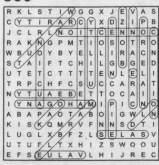